RIBON

NANA 14

―ナナ―

やざわ
矢沢あい

〈いままでのお話〉

東京行きの電車の中で、偶然に出逢った奈々とナナ。性格や環境も対照的な2人が、運命か偶然か、再び巡り合い、同じマンションに同居することに…。

両バンドが勢揃いした、シンとレイラの合同誕生日パーティーに、突然招かれ出席した奈々。タクミに責められるも納得がいかず、別れて707号室に戻ることも考える。

パーティーの夜、ナナの部屋に泊まることにした奈々は、偶然、ノブと会ってしまう。気まずい空気が流れるが、話せたことで、ノブの気持ちや、自分の身勝手さに気づく。そして、もう一度、タクミと向き合うことを決意する。

その後、CDの販売キャンペーンのため、地方巡業へ出たブラスト。大阪で待ち受けるファンの中には〝上原美里〟の姿もあり…!?

♥くわしい物語は、
「NANA－ナナ－」①～⑬巻
（発売中）でどうぞ!!

シングルのデイリーチャートは
毎日欠かさず携帯でチェックした

タクミの予測通り
ブラストは見事
一位の座をキープしていた

だけど手放しで喜べないあたしは

やっぱりトラネスのリーダーの
女なんだなと思った

TRUST
TRAPNEST

NANA
ナナ
[第50話]

D　11月05日12：30
F　ヤス
S　大阪より

こっちは朝から雨。
みんな憂鬱がるけどおれは
雨の日は心が落ち着くから
結構好きなんだ。
変かな。

そんな感じ♡
前へ
返信
全員へ返信
転送
フラグ
プリント
編集
差出人：美雨 <xxx000@docomo.ne.jp>
送信日時：2001年11月 5日 月曜日 12:46
宛先：ヤス <xxx000xxx@00x0.co.jp>
件名：そんな感じ♡
こっちは晴れてるよ。
私も雨の日は好き。
色々と気が合うね。
ヴロロロ…
オリコンのウィークリーチャート見たよ。
初登場１位取れてるか気になって早起きして本屋まで走りました。
ε≡≡≡（≧∇≦）〃
………

そしたらまだ発表されてなかった。
来週発売の号なんだね。
自分がこんなおっちょこちょいだと思わなかった。
もうノブの事責められないな。プチ鬱。(-_-)
ははっ
楽しそうね リーダー♡
メール？
誰から？
女の、
レイラ？
パタン
……
ザァァァ…
ねえ銀ちゃん
オリコンで携帯サイトもあるよね？
あるわよ♡
週間チャートも明日発表よ
間違いなく うちが一位だし
世間はますます大騒ぎよ
超楽しみ♡

ザアアアア…
ほら道路に出たらいかんて
何ぐん言わすねん
もっと端っこに寄らんかい
なあブラストいつ来んの？
遅ない？
もう来てんの？
知らんて
知らん事ないやろ教えてえな
も〜〜
こんなマナーの悪いファンが付いてたらもうブラスト呼ばれへんようなるで？
なんやねんケチ！
デベソ！
ゲラゲラゲラ
あ——キレそう…
あんなおもろない連中の仲間やと思われたないわ
何がデベソや
やっぱりもう帰ろうや上原さん
うちらが帰ってもあいつらがおったら意味ないやん！
そんな大声で言うたら聞こえるって
ええやん別に！
メンバーに迷惑かけたないし

パシャッ
やっぱり一言文句言うて来るわ
やめときって
ケンカになるだけやで
ますますブラストのファンは最低や言われんで
うう～～～
パッパーーー
来たん？
ほんまに？
ザワッ
バン

なんや違うやん
でもごっついきれいで？
芸能人？
詩音さんや♡
え？あれが？
めちゃキレイ！
詩音さーーん！
誰やねんシオン
さあ…
見た事ないけど…
DJの人とか？
ざわ
ざわ
ちょっとみんな！
ここは公共の道路やろ⁉
マナー悪すぎるで！
ザッ

なんでみんな急に言う事聞くん？
さあ…
ブラストのスタッフとか？
知らないの――？
詩音はヤスの女だよ
意味分かるー？
ヤスの彼女さんですか？
うっわー♡
どーりできれいやな
めっちゃお似合い！
分かってねー――
ルイ
こんな清純そーな子達にそんな事教えちゃダメだよ

え？
彼女とちゃうんですか？
ザー…
………
詩音さんの事はファンクラブの会長みたいなもんだと思えばいいよ
会えてラッキーだよ♡
詩音さんに気に入られたら何かと得だから挨拶しておいで
え？得って？
挨拶って？
適当に自己紹介して顔と名前覚えてもらえばいーんだよ
ほら早く！
行こ！藤本っちゃん
パシャ…
うん
ザァァ…
親切だね鞠花♡
詩音の事嫌ってたくせに
あたしも大っキライ♥
だってこれだけ人気出たら誰かに統率してもらわなきゃ収拾つかないじゃん
単独で動かれてぬけがけされたらやだもん
ノブはあたしのものなのに
ああ
美里とかね
ほんと目障りだよねあいつ

歌舞伎町七番街
麻雀
のぞき
ショー
ざわ
ざわ
新宿区
S・Sビル
03-
S・Sビルディング
チン
4
四海
コーポレーション
ガー…

カツ
カツ
カツ
コン
コン
ガチャッ
百合(ゆり)か!?

どちらさん？
あの……
6時に面接のお約束をした都築と申しますけど…
え？
ああ……
……
入って
失礼します
社長は？

仮眠室でーす
起こせ
プルル
はい
四海コーポレーションです
…
DVD VIDEO
香坂百合
都築さん？
はいっ
どーぞ

あの…
パシャッ…。
シオンさん！
はっ 初めましてっ
なんか怖っ
上原美里と申します
藤本千景です
よろしくお願いします
上原美里？
本名？
え？ はい
へー
？
まあでも珍しい名前じゃないしね
なんであんな名前名乗るのかなあいつ
かわいいいね 中学生？
はい
誰のファン？

ナナです♡
みんな好きですけど特にシンが…
今日メンバーにプレゼントとか持って来た？
あ…
手紙だけなんですけど
すいません気が利けへんで…
ふじもっちゃーん
全員好きなんは言わんでも基本やで
くすっ
いいのよ
じゃあ手紙はあたしが預かるね
え？
今日ね
スケジュール押してて時間ないしこの人数だから
各自で手渡すのは無理だよ
ごめんね
ナナイ♥
そーなんやー
めちゃ残念
ほなシオンさんがまとめて渡してくれはるんですか？
うん
確実にメンバーの手に渡るようにするよ？
Vivienne Westwood

ほんまですか？
どーやって？
ほんなら私もお願いします！
いいよ任せて
詩音 SHION
××○○@docomo.ne.jp
090-○○××-××○○
これあたしの名刺
メールくれたらブラストのレア情報時々携帯に送るよ
ありがとうございます！
やった
きれいな名前ですね
詩に音って書くんや
一緒に応援して行こうね
勝手な行動取らずにマナー守ってくれたらツアーの打ち上げとかも声かけてあげるから
え？
打ち上げって？
追っかけのの？
ライブの後のメンバーとスタッフの飲み会だよ
そんなんファンが参加出来るんですか？
誰でもってわけじゃないけど…
心掛け次第だよ？

パッパ――…
詩音さん！
パシャパシャ！
メンバーが到着しました！
ドキッ
キャ――
危ないやろ！
こらどかんかい！
みんな道開けて！
メンバーが通られへんやろ！

しーーーーん
ヴロロロロ…
オーライ
オーライ
……
すごいな
ツルの一声やで
まるで番長グループやな
追っかけ番長？
やっぱりみんな打ち上げに呼んで欲しいんちゃう？
キィッ
ざわ
ざわ
整列！
ざっ
カチャッ
バン

キャ――――
ナナ――――
あ――快感(かいかん)♡
お疲(つか)れ様(さま)です!
……どーも
お疲(つか)れ様(さま)で――す!

みんなありがとーー
ラジオ聴いてねん♡
ナナきれー♡
顔ちさー
本物や
本物やで…
こっち見て笑てくれた…
どないしょー
キャー
キャー
ブブーー
シンちゃーーん
バチッ
くらっ
藤本っちゃんしっかり！
ヤスー

詩音
来てたのか
……
ざわっ
これ ここにいる
みんなから
メンバーに
プレゼントと
ファンレターです
ああ
ありがとう
ご苦労さん

みなさん今日は雨の中ご苦労様です
メンバーは連日の移動でお疲れですから出待ちは勘弁して家でラジオを聴いてあげて下さいね
よろしくお願いします
ざわ ざわ
あたしもヤスとヤリたーい
ほんまに?
ヒソヒソ
やっぱりやっぱり
えーなえーな
すごいすごい
くるっ
ほらどいて道あけてやー
カツ カツ カツ
……
詩音さんお疲れ様です♡
お疲れ様で――す

お疲れ様でーーーーす！
ザァア…
お好み焼き
うえはら
ブラストは大阪は初めてですか？
はい メンバー全員初めてなんですよ
忙しくて観光するヒマもないやろ
はい せめてお好み焼き位は食べたいですよ
国語2
中学数学2
BLACK STONE
やった♡ 家に食べに来て！
今すぐ来て！
あはは

ほな ここらで一曲紹介してもらいましょうか!
はい
あたし達の記念すべきデビュー曲です
「BLAST!」
楽しかったなあ今日♡
まだ夢見てるみたいやわ
うん!
知らん世界に入り込んだみたいでドキドキしたし
学校でもあんな一致団結する事ってないもんなあ
うん めっちゃおもろかった
ナナはもちろんかっこ良かったけど
詩音さんもカンロクあってかっこ良かったよな
さすが追っかけ番長やで
ヤスがあんな直接声かけんねんからルイさん達が言ってた事もほんまかもなあ
お色気全開やし
すごいなあ
でも彼女とはちゃうんやろ?
そやから彼女とか本命は他におって詩音さんはきっと愛人みたいなもんやで
ミュージシャンと寝る追っかけの人って結構おるらしいし

♪
……………
すごい世界やな……
えらいもんに足突っこんでしもた
なんでそんな事知ってんねん藤本っちゃん
まじめなナリしてなんちゅー事言うんや
ドキドキ
ネットで見てん
追っかけの予習や
そんなん嘘や思てたけど
ほんまにあんねんなあ
ほな藤本っちゃんもがんばればシンとそーゆー事があるかもしれんで！
そんなんなくてえーよ！
コンコン
はいっ
スチャッ
ガチャッ
美里
これお父ちゃんが友達と食べって

やった！腹ぺこや
ありがとうございます
おいしそ
なんや
今日の友達はえらいマトモやな
きんちょーするわ
ガシャン
クラスメイトの藤本っちゃん
ブラストの追っかけ仲間やねん♡
はじめまして
今日から親友や！
なんやそれ
おまえクラス委員長を悪の道に引きずりこむなや
クラス委員長？
ブー
藤本っちゃんは美化委員です
キレイ好きなだけあって面食いやねん
面食い？
ほなおれに釘づけやろ
もー
アホな事言わんとさっさと出て行けや
何くつろいでんねん
じゃーな藤本っちゃん
いつでも来いよ

ごめんな しょーもない 兄貴で
はずかしわ
かっこええやん
ほんま釘づけやわ♡
度合ってる？
シンには負けるけどな
シンと比べんなや！
ええな
あたしもあんなお兄ちゃん欲しいわ
あんなんでよかったらなんぼでもあげるわ
初めましてナナ♡
私はナナとブラストをこよなく愛する中２の乙女です☆
ナナが大阪に来てくれると知ってめっちゃ興奮気味です！
ナナにひと目会える事を願いながら生きています。
私みたいなファンは沢山おるやろし
覚えてもらうのは無理やろけど
せめてこの手紙を読んでもらえたらええな….。

ナナは どうしようもないジレンマみたいな事を歌ってるけど
それも吹き飛ばしてくれる 不思議なパワーがあります。
私は人前では お調子者で通ってるけど
誰にも言えない悩みも それなりにあります。
でも ナナの歌を聴くと元気が充電されます。 まんたん
ナナは本当にすごいです！ 尊敬です！

私の家は お好み焼き屋をやっています。
しょぼい店やけど 味は天下一品です✧
お父ちゃんの焼いた お好みを食べると
みんな必ず 笑顔になります。
だから 私は お父ちゃんの事も ひそかに尊敬してます。
時間が出来たら是非食べに来て下さいね！（レンと♡）

ナナの幸せと成功を祈って
これからも ずっとずっと
応援してます！

✿上原美里✿

店の住所と地図です♥
⇩

上原美里？
え？
美里ちゃん？来てたの？
いや違う同姓同名
美里２号？
へ――――かわいいじゃん
……
あほんとだ♡
かわいい♥
珍しくちゃんとナナに似てるし！
あらノブ夫♡それはあたしがかわいいって事？
……
ああおれもびっくりしたよ
しかし今日の子達妙に礼儀正しくなかった？びっくりしたよ
軍隊みたい
詩音の横で号令かけてたあの関西弁の女は誰？
ラゲジャケの

いきなりファンが全国区になって もう把握出来ねぇよな
出入り待ちの子ぐらい覚えてあげたいのに
シオンて?
ロングのブルネットでハリスツイードのレアものスーツ着てた人?
かっこよかった♥
そーだけど……
そっか おまえ詩音の事知らねえのか
東京のライブにも来てたけどね
え?
いた?
あんなキレイなお姉さんを僕が見過ごすはずないと思うけど
壁際でジ――ッと見守って下さってたよ
まるで関係者か業界人のように
ノリが悪いっつーの
僕のお得意さんになってくれないかなシオンさん♡
あれなら半額でいいよ
ファンとはヤルな!
ヤッたら殺す!
詩音を狙っても無駄だぞ
「ブルート」の時からヤス一筋の筋金入りだから
残念でした♡

え？
…
ブルートって
ヤッさんが
14の時から
やってたん
でしょ？
10年越し？
でもファンが付いたのは
ライブハウスに出るように
なってからじゃない？
高一位？
知らないけど
そっか
でも長いよ
もしかしたら
ヤッさんの事を
一番よく知ってるのは
詩音じゃねぇか？
きっと美里ちゃん以上に
調べ上げてるよ
しかも
ヤスだけを
だって詩音は
ヤスと
あんな事とか
こんな事とか
いっぱい
イケナイ事
ヤッちゃったし
絶対
内緒だよ♡
ええ？
ほんとに？
いや
地元のバンギャルの
間で広まってる
ただの噂だよ
おれも
身に覚えの
ない事色々
言われてるし
なんだ
妄想か
つまんない
ヤスがそんな事
するわけねぇだろ
おもしろけりゃ
いーってもんじゃ
ねえ！
ありえねえ

でも分かんないよね
ヤッさんは秘密主義だし
長年彼女も作らずにあんな淡々としていられる方がありえないよ
そーだよな
絶対どこかにはけ口があるはずだ
ヤスは女をはけ口にしたりはしねぇよ!
飲みすぎだノブ夫!
リーダーがそんなイケナイ事するならおれだって鞠花と
ヤルな!
誰? マリカって
かわいーの?
おれの制服の第二ボタンせり落とした女だよ♡
狙ってもムダ♥
も———いちいち説明してたら夜が明けちまうよ
全員ここに呼ぶ?
あ いーね♡
乱交パーティー?
良くねぇよ!
そんな事しちゃダメ!
あ
でも いーかも
え? いーの?
じゃー呼ぶ?
今度地元時代からのディープなファンだけ集めてデビュー祝いのパーティーでもやんない?

今までの感謝とこれからもよろしくって意味で
謝恩会♡
賛成！
それで僕の事ちゃんと紹介してよ♪
キレイなお姉さん達に♡
ああ いーかも
そーいやそーゆー ファンサービス的な事一回もやってねえよな
あんなにつくしてくれてたのに…
アキコとかさ
ナナが人気者になって遠くなったみたいで寂しいとか言ってんだよ
そーゆー事言われるとこっちが寂しいっつーか
あたしは別に変わんねぇのに
そんな事言ってるのかアキコは……
ホロホロ
絶対やろうよ
誰？アキコって
会えば分かるから
それより水取って来てよ
も——ほんと人使い荒いんだから
ブツブツ
自分で行きなよ
つーかヤッさんは？
なんでこんな大事な話し合いの時にいないんだ
けしからんな
ついでに呼んで来い
はい！

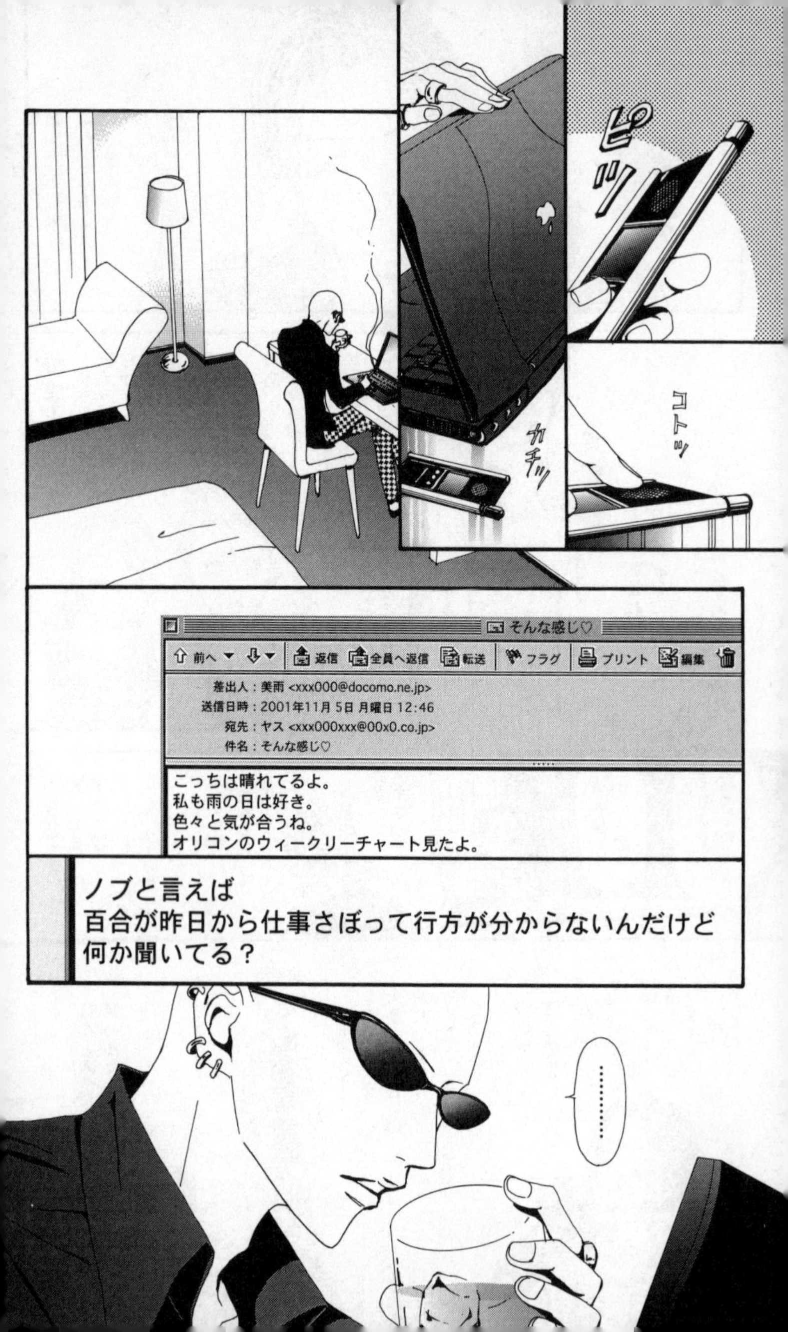
ピッ
コトッ
カチッ
そんな感じ♡
前へ
返信
全員へ返信
転送
フラグ
プリント
編集
差出人：美雨 <xxx000@docomo.ne.jp>
送信日時：2001年11月 5日 月曜日 12:46
宛先：ヤス <xxx000xxx@00x0.co.jp>
件名：そんな感じ♡
こっちは晴れてるよ。
私も雨の日は好き。
色々と気が合うね。
オリコンのウィークリーチャート見たよ。
ノブと言えば
百合が昨日から仕事さぼって行方が分からないんだけど
何か聞いてる？
……

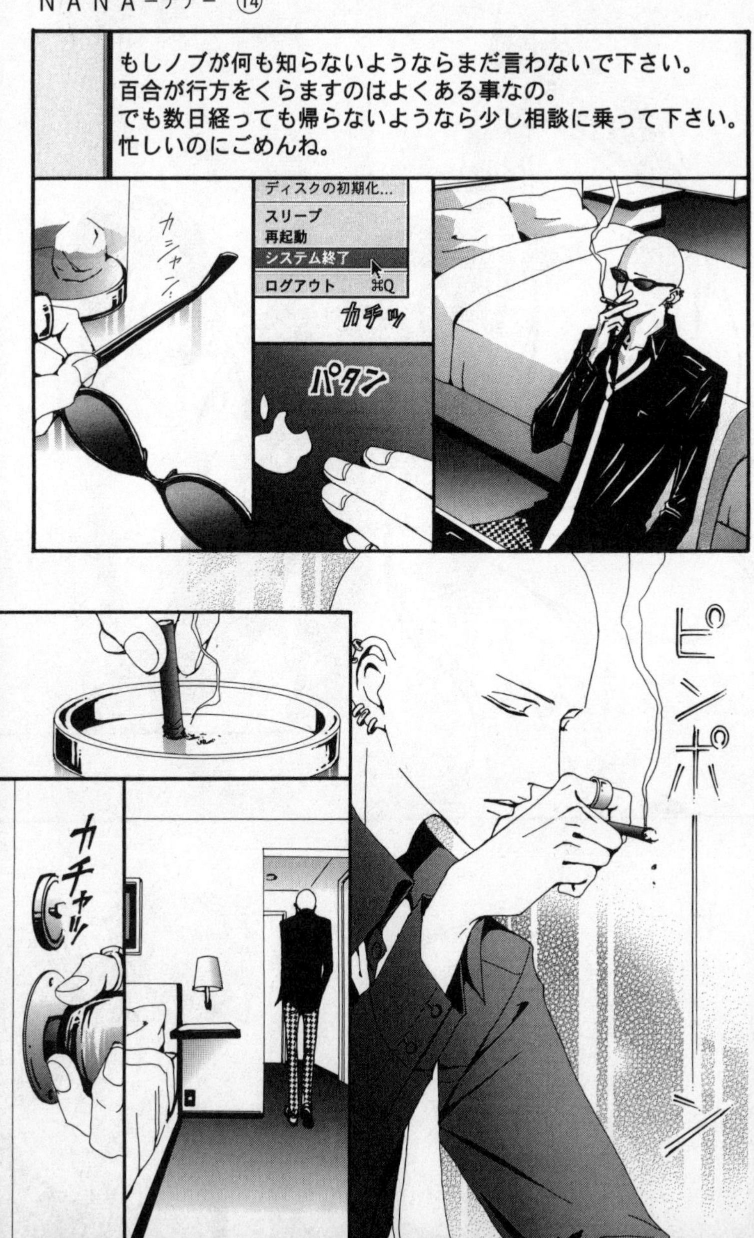
もしノブが何も知らないようならまだ言わないで下さい。
百合が行方をくらますのはよくある事なの。
でも数日経っても帰らないようなら少し相談に乗って下さい。
忙しいのにごめんね。
ディスクの初期化...
スリープ
再起動
システム終了
ログアウト ⌘Q
カシャン
カチッ
パタン
ピンポーン
カチャッ

パタン

タン
………
なんか……
絶対に見ては いけないものを 見てしまった
何かが おれの真ん中で 音を立てて 崩れて行くよ
ガラ ガラ ガラ
僕は何も 見てないよ
おれは おまえみたいに 知らん顔は 出来ねえよ
出来るよ
ナナさんに 知られたら どうなるかを 考えれば
ヤスの命が 危ない!
ほんと単純だよね ノブさんて
ナナさんと ヤッさんて どー考えても
言うな
ナナは レンと 結婚 するんだ

なんだ
出来てるじゃん
知らん顔
ヤスは？
カシャン
疲れたから
今日はもう
寝るって
えーーー
銀ちゃんと♡
じゃま
しちゃ
悪いよ♥
ゲラ
ゲラ
ゲラ

それよりおまえ
レンに電話位
してやれよ？
新婚早々
二週間も放置
しちゃダメだよ
新婚さんは
てめえだろ
百合ちゃんに
メール位してやれよ？
カチャッ
鞠花と
浮気
してないで
でも向こうからも
して来ないし
忙しいんじゃない？
売れっ子だもん
なんだよそれ
クールだな
ほんとに本気で
惚れてんのかよ
おれがいつ本気で
惚れてると言った
おれは誘惑に
負けただけだ
絶対本気で
惚れねぇぞ
惚れてなるものか
なんで？
いーじゃん
ラブラブなんだし
まだハチの事
こだわってんの？
もー忘れろって

百合さんの事考えると全国のビデオショップに火をつけて回りたくなるんだって
手伝うよノブ夫巡業ついでだ
シュボッ
おまえが言うとほんとにやりそうで怖いよ！
そんな事しちゃダメッ！
ねえ　ナナ

あたしは いつも その繰り返しで

全然進歩がなかったよ

受信メール

11月06日　00：15
タクミ
✉Re,今日の献立♡

仕事が片付かなくて今夜はやっぱり帰れません。赤坂の家に泊まるよ。ごめんね。

も――
せめて もっと早く言ってよ！
バカバカバカ！
了解（^ ^ゞ
お仕事がんばってね♡
（^ε^）／
……
奥様？
ひっどい男♡
ピッ！

ねー澄香ちゃん
もーおれを誘わないでね？
なんでこの業界はこー誘惑が多いんだ
みんなどーかしてるよ
どうかしてるのはタクミだよ
本気で一般人なんかと結婚する気？
超本気
……
おれは愛に目覚めたんだよ
でもせっかくだしもっかいヤルの？
〰〰〰
それよりあたし1月からゴールデンの連ドラの主演だよ？
すごくない？
へ———
おまえが主演ねえ…
プロデューサーと寝てたの？
すっごいね
おめでと——♡
失礼ね実力よ

たとえ愛されなくてもいいから愛したい
誰かを心の底から
ただ真っ直に
一番シンプルな事なのに
どうしてそれがこんなに難しいの？

はい
あーんして♡
あーん♡

タクミは　なるべく毎日帰ると言いながら
仕事を理由に帰らない日もよくあった
ほとんどは本当に仕事なんだろうけど
時々なんとなく嘘の匂いがした
100歩譲ってタクミに
100人女がいたって構わない
あたしがその中の一番であればいい
一位の座をキープしてみせる
何がなんでも
TRUST
TRAPNEST

[第51話]
NANA
ーナナー
BLACK
STONES
BLACK
STONES
BLACK
STONE
BlackStone
Cherry

ざわ
ざわ
ざわ
SEED
KENWOOD KENWOOD
パ――――…
TRUST
TRAPNEST
あ
レイラ！
2001

ギクッ
パッパー
「私は誰より一番歌が上手いでしょ？」みたいな歌い方も嫌
超キレー♡
あの看板欲しー♡
ざわ
ざわ
でもレイラってさ――
……
テレビとかでしゃべってるの見ると すごい気取っててヤな感じじゃない？
あはは
思ってそ――
思ってない 思ってない 思ってない
ナナのがいーよ
なんか素でかっこいーし
あの歌ってる時のせっぱつまった感じとかもさ――
胸に刺さるってゆーか
あ――
そーだよね
分かる――♡
アルバムも楽しみだな♡
絶対買っちゅう
ざわ
ざわ

渋
谷
ブラストのデビューシングルはチャートの初登場一位を記録的な枚数で獲得し
トラネスは不動だった王座を譲り渡した
だけどタクミはそんな事には全く動じていない様子で
ひと仕事終えたようにいつになく穏やかだった
ピンポーーン
カチャ…
はい

カチッ
かたっ
あの男はあたしのものよ
返して

ババババーン♪
チャラララーーン♫
つづく
きれいだよね 森下澄香(24)♡
主演の坂口麻美より ずっと演技も上手くない？
迫真の演技！
あーー もーー
よーーやく幸せに なりかけたのに なんでこーなるかな
そもそも あの 浮気男が悪いんだよ
刺すなら男を 刺せばいーのに！
納得いかない！
………
そーなの？
観てなかったー
会った事 ある？
どーー だっけー
覚えてないや
ちょっとレイラさんに 似てない？

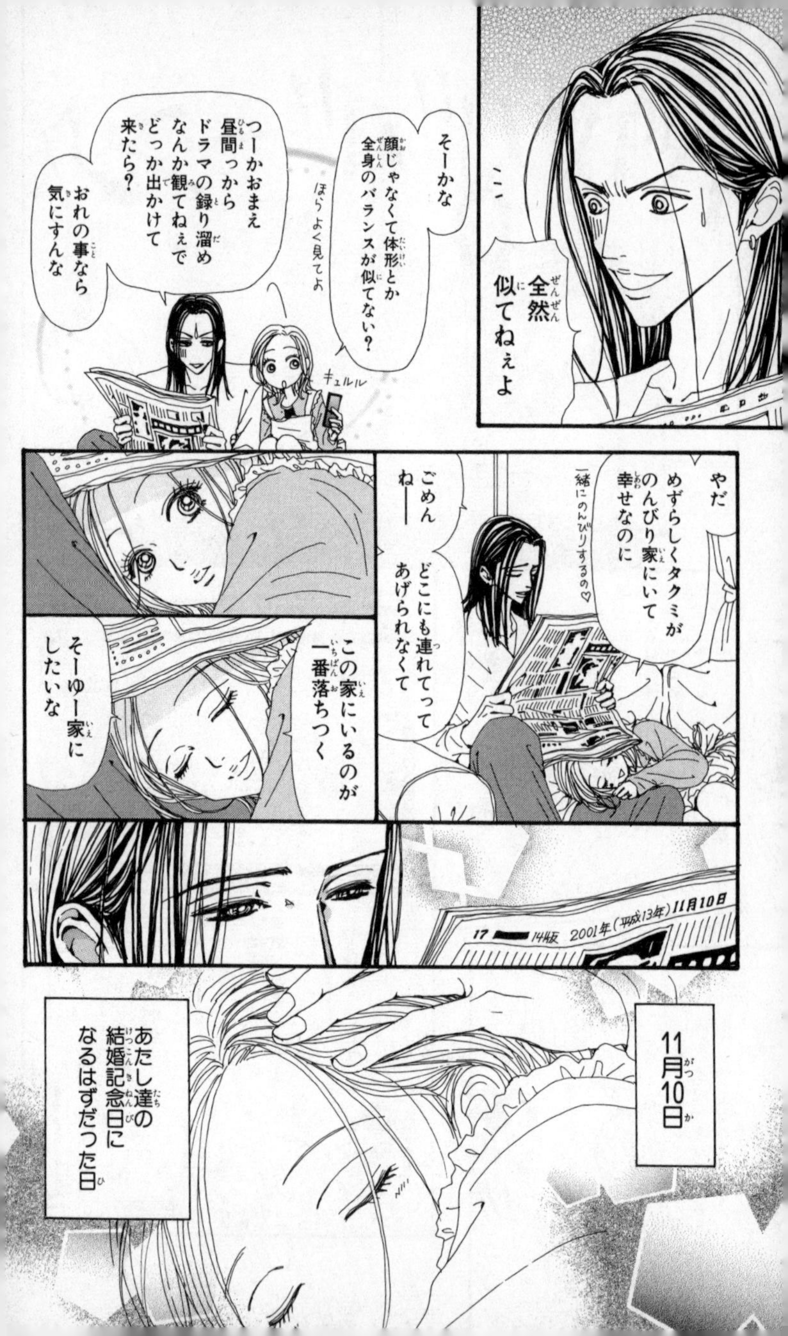
全然似てねぇよ
そーかな
顔じゃなくて体形とか全身のバランスが似てない？
ほらよく見てよ
つーかおまえ昼間っからドラマの録り溜めなんか観てねぇでどっか出かけて来たら？
おれの事なら気にすんな
キュルル
やだ めずらしくタクミがのんびり家にいて幸せなのに
一緒にのんびりするの♡
ごめんねー
どこにも連れてってあげられなくて
この家にいるのが一番落ちつく
そーゆー家にしたいな
17 14版 2001年（平成13年）11月10日
11月10日
あたし達の結婚記念日になるはずだった日

仕事を入れようと思えばきっといくらでもあったのに
タクミは白金の家にいてくれて
その思いやりがうれしかった
まいどー♡
芹澤軒でーす♡
気晴らしにマンションから駅まで歩いてみたんだけどね
騒々しくてよけい気が滅入って結局タクシー乗っちゃった
あたしも車の免許が欲しいな

ドライブでも行くか
ヒマだし
どこ行きたい？
海♡
カチッ
D11月10日 14：03
F朝海
SRe.元気？
元気じゃないよ！
なんで一週間も連絡くれなかったの？
さみしくて激ヤセしてオッパイがちっちゃくなっちゃったよ！
超ショック(T∧T)
ゴオ　オオ…

ゴオオオ…
まもなく博多に到着します
シンちゃん
起きて
降りるわよ
カチ カチ カチ
HOTEL TOKYO
週刊アルバイト情報
ピルルー♫
がばっ
ピッ

おれも寂しいッス！
もう限界。(T T)
どこでもドアが本気で
欲しい。
そしたら今すぐ会える
のにね。
ざわ
ざわ
なんで これに乗ってるって分かったの？
偶然♫
嘘つけ
これ飲んで がんばってね♡
ブルルル
F 百合
D 11月10日 14：06
S 一生のお願い！
……
くすっ
何をがんばれと
マムシ
…………
今夜泊まるホテルが分かったらすぐメールして！誰にも内緒で！
絶対に誰にも言わないでね！

どさっ
ピルルルー♫
ミュー
ピッ

コンコン
コト…
ガチャ
はい
おれだ
百合の居所ならほんとに知らないってば！

誰？
初めまして
都築舞と申します
新人さん？
いや新入社員だ
今日からここに住む
は？

なんで社員がタレントの寮に住むんですか？
いーじゃねえか 空き部屋 沢山あんだし
固い事言うなよ
ほんとおまえはお固いっつーか小姑みてぇだな
すみません
住む所が見つかったらすぐ出て行きますから
また家出少女拾ったの？杉村さん
いーかげんにしてよ
何させる気？
……
そんなんじゃねえって
ブラストがあんだけ人気出ちゃ銀ちゃん一人じゃ手が回んねぇだろ
巡業から戻ったらサポートに付いてもらうんだよ
まあそーゆーわけだからよろしく頼むよ
おれはガキの面倒見てるヒマはねぇんだ おまえはヒマだろ？
ガー…
……
ガキ…？

年いくつ?
20歳です!
そー言えって社長に言われたんでしょ?
ほんとはいくつ?
17です
はー
ちょっと待ってて
近所案内するから
え?
いーですよそんな!
この辺 治安悪いから
女の子が一人で通らない方がいい道とか入らない方がいい店とかあるのよ
怖い目にあいたくないでしょ?
ゴオオオオ…

ここまで来りゃ結構すいてんなあ
てゆーーーかどこまで行くのー？
山ばっかりだけど
ポッキー
地の果てまで♡
ギュイーーーン
え？
レンとレイラが？
はい
嫁さんの留守中に二人っきりでどこまで行く気でしょうねえ
仲イイな〜♥
おもしれえ！
どこまでも追え！

ザアアア…
も――――
なんって行く先 行く先雨なんだよ
誰だよ雨女は！
うちのバンドは女は一人だよ
あたしかよ！
さすがにこう毎日だと嫌んなるなあ……
明日の札幌なんて雪予報よ？
北海道はもうそんな季節なのねえ
つーかおれ達は今本当に九州にいるの？
全然そんな気がしないよ
九州らしい事しようよ
ピッ
じゃああたしの部屋で焼酎でも飲む？
魔王
もう今日はかんべんして
体の水分が全部酒になっちゃうよ

なんだよ ひ弱だな
これだからおぼっちゃまは
ケッ
僕が付き合うよ ナナさん♡
ヤスは？
おやすみ
も〜〜〜〜〜〜
ピルル
銀ちゃんもたまには一緒に飲もうよ♡
あら そーお？
シンちゃんの頼みじゃ断れないわねぇ
D 11月10日 23：14
F 朝海
S お帰りなさい♡
ノブ
はいっ
2202号室のドアはどこでもドアです！
待ってるよ♡

ちょっと話があるから来い
2315
え？
第二ボタンの女か？
マリナだっけ
どーりで熱心
明日じゃダメ？
違うよ！
マリカ！
自分と一緒にすんな！
…………
君の弱味は握らせてもらった
詮索はしないから今夜は見逃して♡
朝海がはるばる会いに来てくれたんだ
おれはやっぱり愛に生きるよ
マムシ飲んでがんばろっと♥
待て！
それならなおさら見逃せねぇよ
アサミって…
え？

行方不明!?
行方はたった今分かったけどな
やれやれ
プシッ
……
なんで今まで黙ってたんだ
おまえに言ったら巡業どころじゃなくなるだろ
でももう一週間だしさすがに心配で
そーじゃなくて！なんで朝海がおれに今まで黙ってたかがナゾなの！
あいつはそんな気イつかうヤツじゃねえし
ああ
も──女ってほんと何考えるか分かんねえよ
おれが単純すぎるのか？
いや おれも分かんねぇけど
百合ちゃんは仕事やめたいって騒ぐ度 男に逃げられて来たそうだから
おまえの反応が怖いんじゃねぇか？

何それ
なんで逃げるの？
その男共も分かんねぇよ
さあ
百合ちゃんの稼ぎが目的だったとか
四海に睨まれるのが怖いとか
色々だろ
なんだよそれ
分かりたくもねぇな
百合ちゃんは人気がブレイクした去年の春に四海と2年間AVに出続ける契約を結んでるんだ
あと半年残ってる
たぶん契約金に目が眩んだんだろうけど
銀ちゃんに聞いた限り今やめたら倍額の違約金を支払わなきゃならねぇ内容だ
契約金なんて言うと聞こえはいいけど
儲けを見込んで逃げられねぇようにする手段だよ
百合ちゃんは先に金もらってる分一本あたりのギャラは売れっ子AV女優にしては少ない

やめたきゃ本数出て稼がなきゃなんねぇ
そしたらそれだけ四海は儲かる
四海の取り分が多いからな
やり口が汚ねぇよ
でもまとまった金欲しさにそんな契約書にサインした百合ちゃんも百合ちゃんだよ
あの子アイドル時代から男に貢いではすっからかんになって何度も寮に出戻って来てるそうだぞ?
え?
寮に住んでるのはストーカーファンに追われたからじゃないの?
…
そんなんじゃ金も貯まんねぇだろ悪循環だよ

も―――
なんであいつ あんな すぐバレる嘘ばっか つくのかな
やっぱり からかわれ てんのかな おれ
いや今回 出戻った理由は 知らねぇけど 男に貢いだ からとしても おまえにゃ 言えねぇだろ
まあ悪い子 じゃねえとは 思うけど
………
やる事の軽率さは 奈々ちゃん以上だぞ
ほんとにおまえの手に 負えるのか疑問だよ
違約金て いくらなの?
契約金が 2千万 4千万だな

何それ！
おれ達とケタが違うじゃん！
そんな金ねえよ！
おれらはガイアから契約金もらえた事自体そもそも異例なんだから
まあ百合ちゃんも異例だろうけど
もらえただけありがたく思えよ
そーなの？
普通は新人アーティストは金払ってでもCD出してもらいてえ立場だからな
ガイアがそんなもん払う必要ねぇだろ
プロになりゃ稼げると思ったら大間違いだぞ
そーだけど…
でもうちのバンドはあんな形でデビューするのは不本意だったしナナの名誉も傷つけられたんだから
一枚噛んでたと思われるキツネにそれなりの抗議をしてやったんだよ
CDはよそから出しますって
まあハッタリなんだけど
そしたら案の定大慌てでね

そこを突いてうちが有利になるように色々と取り引きをさせて頂いたんだよ
レコード会社ばっか儲けさせても納得いかねぇしな
ヤッさん
何こっそりそんなヤバいバクチ打ってんだよ
ほんと陰でコソコソイケナイ事ばっかりして
ヤバかねぇよ勝てるバクチは打たなきゃ損だろ
だいたいバクチなんてこっそりやるもんだ
…………
ヤスってさ……
まあいいや今は
なんだよ
四海に何か打つ手はないの？
契約書見てねぇから分かんねえけど
ねえかもな

そんなあっさり言わずに何か考えてよ
ヤミ弁護士だろ？
自分で考えろ
ハタから見りゃ百合ちゃんが沼にハマったのは自業自得だし
おまえは百合ちゃんの軽率な行動に荷担した一人だ
それを今更惚れちまったから全部チャラにしたいなんて勝手な言い分だよ
助けてやりてぇのは分かるけど
四海のやり口がどーのとか正義漢ぶるな
でも4千万なんて大金おれにはどーしよもねぇよ
なんで世の中こう金なんだ
金さえ用意出来りゃ済む問題じゃねぇだろ

やめたって出回ったビデオは一生残るんだよ

それを嫌がる男と一緒にいても　あの子が追い詰められるだけだ

…！

奈々ちゃんがなんでタクミを選んだかを

もう一度よく考えろ

2202

ピルルー♫
杉村

ガシャッ
百合は家出少女でね
5年前新宿の町をノラ猫みたいにフラフラしてる所を杉村ちゃんが拾って来たのよ
魔王
なんだ
そんなもん拾っちゃうなんて見かけによらず優しいとこあるじゃん杉村ちゃん♡
違うわよ
こいつは上玉だから売り飛ばしたら金になるぞって
見かけ通りじゃねぇか!
でも四海は表向き芸能プロなんだし社長がアイドルとしてデビューさせてみようって
……
せっかくべっぴんさんだし?

表向き？
裏はなんだ
でもアイドルも下火時代で全然当たんなくてね
だいたい今時清純派なんて社長は考えが古いのよ
それで雑誌で軽くお色気ポーズさせてみたら結構評判良くて
受けがいいと本人もはりきるし周りに乗せられてどんどん脱いじゃったのよ
いーんじゃねぇのいさぎよくて
そしたら社長が今度はね
百合を昔のロマンポルノのスターみたいにしたいって言い出して
いちいち古いの
ああ日活の？
それは男のロマンだよね
あんたそーゆー事だけは知識があるんだな
しかもオヤジ寄り
……
でも今は映画もねあんまり儲からないし…
それでビデオにガンガン出させて
ようやくブレイクはしたけど
今思うと百合は演技力があるから普通の女優さんとして売っても成功したかもしれないわ

別に今からでも遅くはないんじゃないの？
まだ若いんだし人気もあんだし
いや今更脱がない香坂百合なんかに誰も興味示さないよ
人気があるからこそ難しいよ
やっぱり百合さんはエロでないと
そーよねえ
あたしは女の裸には興味ないけどね
人生はやり直しがきくって人はよく言うけど
人間は積み上げた過去を土台に生きてるんだからそう簡単にはいかないわよ
積み木を崩す事がやり直しだとも思えないし
踏ん張って積み上げて行けば　いつか理想の形になるのかしらね
シュボッ

すー
レイラ
着いたぞ
え？
ガチャッ

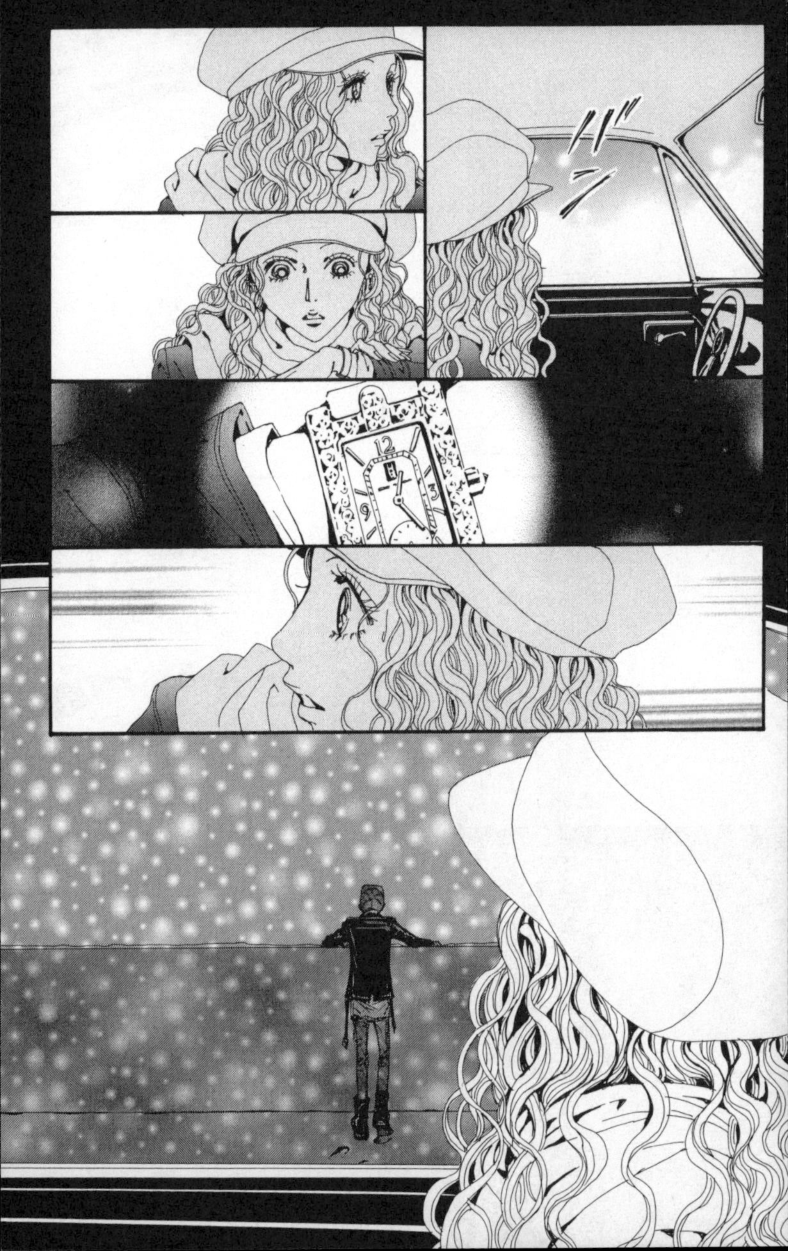
バン

ガチャッ
ピュウ…！
ザァー

ザァッ…

そろそろ初雪が降る頃だと思ってたんだ
おれが死んだら遺灰はこの海に撒いてね
あ いーね それ♡
あたしもそーして!
早い者勝ちかよ
一番長生きしそうなやつに頼むか
ナオキとか
それならタクミだよ
殺しても死ななそう
あいつはそんな情け深い事はしてくれねぇよ
めんどくさいとか文句言われそう
それもそーだね
死んでまで文句言われたくない!
タクミの名前なんか出すから仕事の事思い出しちゃったよ
明日昼からだっけ
朝 飛行機で帰るか
もーつかれた
車は?
業者に頼んで運んでもらやいーよ
タイヤ履きかえてねぇから危なくてしょーがねぇし

じゃあ あたしもレンの家に泊まるー♡
そんなイケナイ事したらママが泣くぞ
ママと寝ろ
奥様がいるのに襲う気なの――？
なんでうちの男共は――
まだ結婚してねえって
してるようなもんじゃな――い
そーなの？
おれは結婚の意味もよく分かんねぇからな
何の為の制度なの？
ザァ……
じゃあなんでプロポーズしたのー？
それしか方法が思いつかなかったからー？
何の方法――？
ヤブ蚊退治ー？
ハゲ退治――
ナナの心の中からヤスを追い出す方法

ザァ…

ガキっぽいよね

紙きれ一枚の契約に何の効力があるんだ

そんなもんで繋ごうとする程よけー虚しくなる

おれ ほんとはきっとナナに歌う事もやめて欲しいんだよ

それでずっとおれの横でおれの事だけ考えてりゃいーのにとか思ってんだよ

おれ最近本気でナナの事殺したくなるんだ

そしたら永遠にナナがおれだけのものになる気がして

真面目にヤバイよ…
誰かおれを殺せよ…
ねえ
ナナ

ナナの最後の言葉が

今も希望と絶望の間を行き来する

SID &
NANCY
LOVE KILLS

「一年の半分は雪に埋もれてるような所だから」

テレビの天気図の雪だるまのマークを見ながら

以前ナナが話していた遠い北の町の事を思った

いつかあたしもその雪景色を見る事が出来るだろうか

そこはタクミが生まれ育った町でもある

NANA
―ナナ―
[第52話]

本城 蓮
大崎 ナナ

REN
とその仲間たち
落書き禁止
REN LOVE ― ♥Miki
また来ます。ユッコ♥
キィ
あ　来た！
タクミ――♥
すげーいじめたくなるこの顔
キャー
やめてやめて―
オラオラ

どーーだった？ライブーー
もーーー最高ーーー！
やっぱりトラネスが一番だよねーー♡
ちょーかっこよかった♡
おい
さっきはおれらが一番つってたじゃん
ゲラゲラ
WAAO
すっげーーー
レンてここに一人で住んでんの？
うらやまし
まさに隠れ家！
レイラちゃんお疲れーー♡
飲む？
ありがとーアルト♡
ブルートのやつらが勧めるもんなんか口にしちゃダメだよレイラ
絶対ヤバイもん入ってるから
マジで
レンは？
さーーバスタブじゃない？
え？
おフロ入ってんの？
CD替えてー
何に？
HOPE

ざわ
いーじゃん
くすくす♥
ざわ
ざわ
…………
おまえらの
どこが渋谷系だよ！
こんな田舎町で
あははは
ざわ
ざわ
ざわ
ざわ
レイラ
お疲れ様でーーす♡

おまえ こんな悪の巣窟に来るな
連れて来んなよタクミも
まいったな
今の子誰？
彼女？
そー言うおれはこんな所に入り浸ってていーのか？
良くねぇな
なんとかしなきゃ
くす くす
何それ自問自答？
ねー今のブロンドの子誰ー？
彼女？
うちのお得意さん
ヤスのファン？彼女じゃないの？
彼女なんかいねぇよ
じゃー好きな子とかいないの？
……
それ何ー？
バーボン
ロックで飲むと旨いんだ
……
高校生がそんな生意気なもの飲んでいーのー？
シブすぎ
いーわけねぇだろ
目撃者には海に沈むか共犯者になってもらう
どっち？
共犯♡

ドキドキドキ
カラン
あ!
アッシに飲むなって言われたんだった――
なんかヤバイもん入れた?リーダー
じ――っ
……
ヤバかねぇよ
ただの惚れ薬だ

流れていた曲はニルヴァーナ
その年の春大好きなカートがこの世から去って
初恋の人はどんなに追いかけても振り向いてくれないし
あたしは失意のどん底だったの
それでも笑っていられた理由がその時分かった
絶対大切にしようって心に誓った
なのに結局それも失ってしまった
カラン…
どうして人はどこにもとどまれないのかな
でもとどまらないから前進出来るとも言えるよね
ねえレンのファーストキスっていつー？
幼稚園とか？
す

……
SID & NANCY
LOVE KILLS
すや
すや
すや
すや
今日はオフでレンと一緒に里帰りをしました。今夜はレンの部屋で飲み明かします。ここにいると忘れかけていた色々な事を思い出すよ。少しの間シンちゃんの事をしまいこんで昔の恋バナなんかしちゃう私を許してね♡私に初カレが出来たのは、今のシンちゃんと同い年の時です。
コン…
!
F LAYLA
D 11月11日02：34
S 外は雪
タバコがなーーい！
死ぬー
コン
……

あれ？銀平は？
さっき部屋に帰ったじゃん
あんたも帰んの？
タバコ買いに行くだけだよ
えらい！
……
僕も今夜はナナさんの部屋で飲み明かす事になりそうです。ナナさんはレンがいないと寂しがって困るってレンに言っといてよ。
ねー 銀平は？
だから帰ったってば
僕は思い出話にやきもちはもう妬かないよ。レイラさんを取りまいていた全てのものが、今のレイラさんを作り上げたんだから。

お♡
香坂百合
特技？
色じかけ♥
いーなー
あの太もも♥

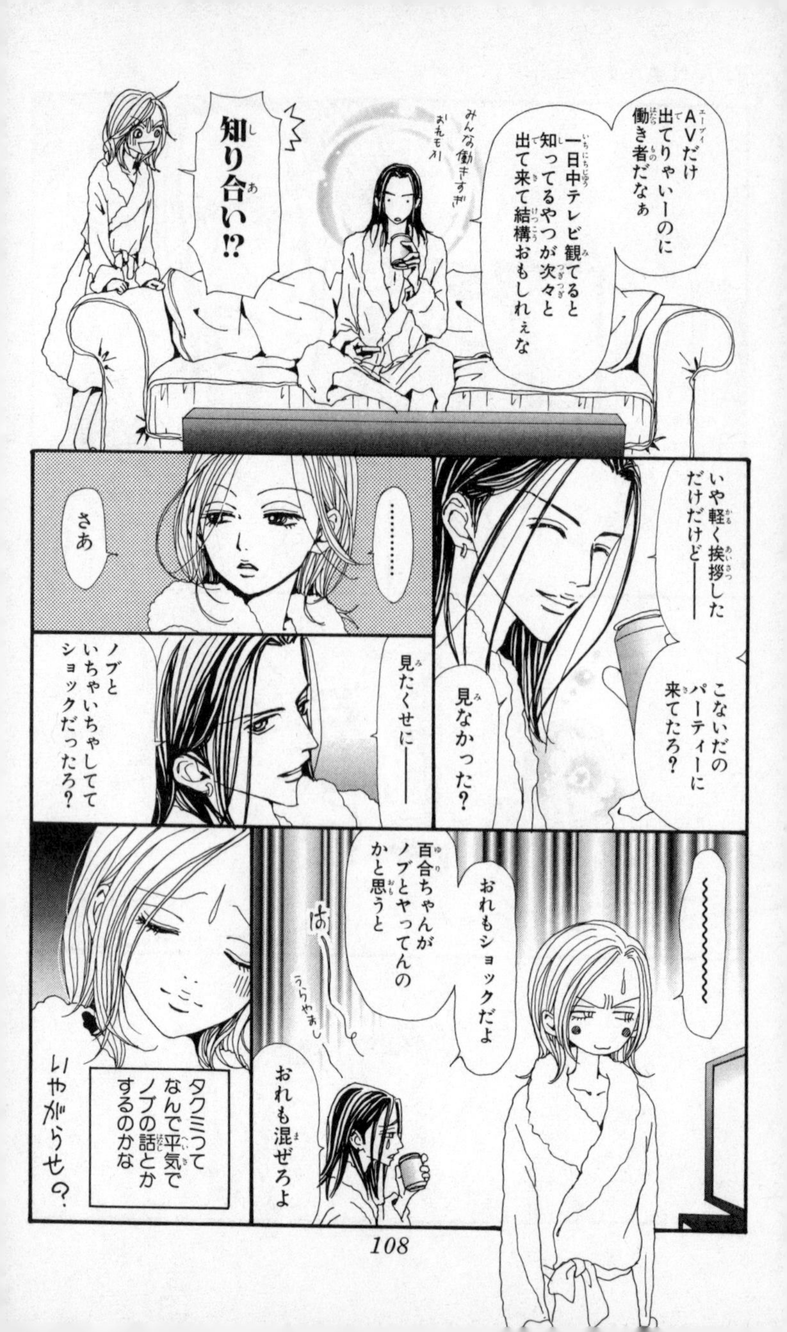
AVだけ出てりゃいーのに働き者だなぁ
一日中テレビ観てると知ってるやつが次々と出て来て結構おもしれぇな
みんな働きすぎ おれも↗
知り合い!?
いや軽く挨拶しただけだけど――
こないだのパーティーに来てたろ?
見なかった?
……
さあ
見たくせに――
ノブといちゃいちゃしててショックだったろ?
〜〜〜〜
おれもショックだよ
百合ちゃんがノブとヤってんのかと思うと
は
うらやましい
おれも混ぜろよ
タクミってなんで平気でノブの話とかするのかな
いやがらせ?

あ でも
そしたらまた
どっちの子か
分かんなく
なるよね
いっそみんなで
暮らすか
大団円で。
タクミ！
そんな事
冗談でも
言わないで
いやおれは
全然 本気だよ
百合ちゃんとヤリたい
お腹の子にも
聞こえて
るかも！
グレちゃうよ
聞かれても
まだ意味
分かんねぇよ
ノブの話も
もうしないで！
もう忘れたいの！
分かったよ
じゃ――たとえ幸子が日に日に
ノブにそっくりに育って行っても
その事には一切触れずに
「かわいいねー♡」とか言って
ビミョーな空気の中で
暮らせばいーんだな？
気まずー
…………
それは嫌！
じゃ――つっこみ合って
笑うしかねえだろ

ノブはともかく
一緒にいるおれ達は
今までの事 どれも
なかった事には
出来ねぇんだから
事実は
事実として
ありのまま
受け入れろよ
だいたい
おまえはさ――
待って！
なんか今
パパが
めずらしく
いい事
言った！
ワンスモア
え？
パパ？
ああ おれが
そんな事
ないよ？
普通は自分の
思い込みとか理想とか
悲観とか色んな主観が
入って多かれ少なかれ
事実はねじ曲がるものなのよ
「事実は事実として
ありのまま
受け入れる」
家訓に
しようね
いやそれ
フツーの
事だから

…
なんだ分かってんじゃん
おまえは誰よりそうだって言いたかったんだよ
たとえばこの顔やせクリームであたしがせっかく小顔になれた気がしていても
タクミから見るとあたしはやっぱり丸顔なんだよ
高かったのに……あんまりだよ……
でもタクミは物事を残酷な程ありのまま捕えて身も蓋もない感じ
誰から見てもおまえは丸顔だよ
なるほどそっか―
なんか変な人だとずっと思ってたけどそこが変なんだ
スッキリ♡
タクミが人より冷たい感じがするのもきっとそのせいだ
でもやっぱり本当は冷たいわけじゃない
タクミはありのままのあたしを受け入れてくれたし
ままを受

ガキの父親が誰でも
母親は間違いなく
おまえなんだから
しっかりしろよ
タクミがいると
心強く思えるのは
私情を絡めない判断を
してくれるからだ
だからタクミの言う事には
揺らぎがない
タクミはきっと
誰より分かってるんだ
人の感情は
たやすく揺れ動いて
目に映るものは
みんな　まやかしで
そこには確かなものは
何ひとつないって事

2202
カチ
カチ
カチ
カチ
カチ
カチ
ひっく
ひっく
うっ…
AM 02:41
ダメだ…
なんですぐ
壊したり
するのよ…
うっ…
バカ……
ピンポーーン

奈々ちゃんが なんでタクミを選んだかを
もう一度よく考えろ
カチャ
いらっしゃいませ――♡

何の店だよ
パタン
カチャ
何がいい？
……
イメクラ？
ソープ？
ストリップ？
……
それとも
SMクラブ？
それは嫌
女王様は
ナナだけで
充分だから
何度言わす
じゃー
あたしを
いじめて♡
パァ♡
つーか
おまえ
酒くせぇぞ
一人で飲んで
たの？
だってノブが
遅いから！
何してたのよ！
浮気なんかしたら
カンチョーするよ！
ごめん
ちょっと
考え事…
何この
部屋！
広っ
デラックス
ルーム♡
キャッ
きゃっ
なんで
こんな時にまで
そんな無駄使い
するんだよ！
意味分かんねぇ
おまえ
金貯めて
仕事やめる気
本気で
あんのかよ！

ごめんね
一週間も連絡しなくて
………
おれおまえが仕事やめたがってるなんて全然気づかなくて…
むしろはりきってんのかと思ってたし
今までどこにいたの？
都内のホテル…
あ
でも安ホテルだよ？
今日はノブの為に出血大サービス♡
あ
いや来てくれた事はうれしいんだよ？
すげえ会いたかったし
そんな事してくれなくていいよ

朝海…

明日の朝
美雨が迎えに
来てくれるから
一緒に寮に
戻れよ
おれは仕事で
送ってって
やれないから
あたしがここに
いる事 教えたの?
事務所には
まだ言って
ねぇよ
連れ戻される
より自分から
戻って謝った方
がいいだろ?
美雨も
付いてて
くれるから
なんで
ミューさん
なのよ!
デキてんの?
いやだって おれ
他におまえの
友達知らねぇし
美雨なら
あんな四海の
飼い猫
友達じゃない!
勝手な事しないでよ!

も～～～～～～～～～っっって――――
勝手な事してんのはおまえだろ？
おまえ四海から先に金もらってんだろ？
それ全部自分の好きに使っちまったんだろ？
しかも2千万も
……
だったら契約通りあと半年仕事しなきゃならねぇ責任があるよ
そんなの分かってるよ…
それならちゃんとやれよ
すっぽかしたりしてみんなに迷惑かけてるぞ

ノブはあたしが
エロビデオ出てても
平気なの!?
それは
別問題
もーいいよ
出てって
出てってよ!
おれが
出てったら
何か解決
すんの?

おれと別れてまた仕事に戻るの?
どっちみち戻るんなら一人じゃねぇ方がいいじゃん
おれは何もしてやれないけど
してやれない自分がすげえくやしいんだけど
香坂百合があと半年がんばってやり遂げる姿をちゃんと見届けるよ
そのあとは
朝海一人ぐらい食わせてやれるようにおれもがんばるから

ピルルー―♫

あ
美雨？
悪ィな
こんな夜中に
ちょっと
相談したい事が
あるんだけど
百合の事なら
聞いたよ
さっきノブから
電話がかかって来た
え？
何て？
百合の事
仕事に戻るように
説得するから
ホテルまで
迎えに来てやっ
てくれって
どー思う？
ノブが出来ねぇんなら
おれが百合ちゃんを
説得するつもりだったんだ
肩の荷が下りたよ
それは分かるよ
でもなんであたしが
わざわざ九州まで
行かなきゃ
ならないのよ
それを
頼みたくて
かけたんだ
美雨が来てくれたら
誰より心強いよ

……
はあ
朝一番の飛行機に乗る予定だから
9時頃にはホテルに着くよ
そう
じゃあ着いたら部屋に来いよ
2202号室
ああ百合のね?
いやおれの
せっかく来るんだから顔見せてよ
2315号室だ
10時にホテル出るんだけど
百合ちゃんはギリギリまでノブといるだろうし
それまで一緒に朝飯でも食おう
カチッ
用意しとくよ
S FUKUOKA
2202
6:30 → 8:10
2315

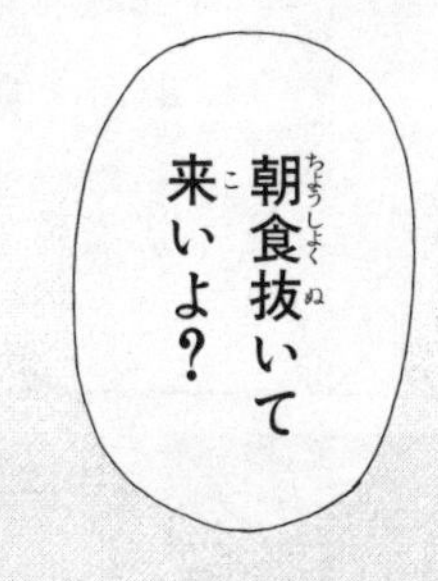

ゴォォォォ....

HOTEL S FUKUOKA
カツ…
ガー…
ねー
謝恩会って誰呼ぶの？
昔からのファンはそんなに人数集まんないよ
メンバーは知らないだろうけどメジャーになって離れたやつの方が多いんだから
あんなデビューの仕方したしね
売れりゃいーのかよみたいな
それはリーダーも分かってるよ

地元になんかこだわらなくていいから
この先のブラストを盛り上げてくれそうな子達をリストアップして
2315
カチャ…
おはよう

……
カチャ
カチャ
カチャ…
何？
見てる？
なんか変な感じだよな
何が？
なんでおれ おまえと二人で部屋で朝飯食ってんだろう

自分が誘ったんじゃない

そーだけど

なんか順番が違う感じがしない？

何の順番？

なんかいきなりデザートから出て来たみたいな

？

もしかしたら

朝食ってのは一日の始まりと言うより締めくくりなのかもな

一緒に夜を過ごした者同士の

きっとそのあと一日が始まるんだよ

そーかも

夜明けのコーヒーとか言うしね

そーだよな

だから唐突で変なんだよ

まあいーけど

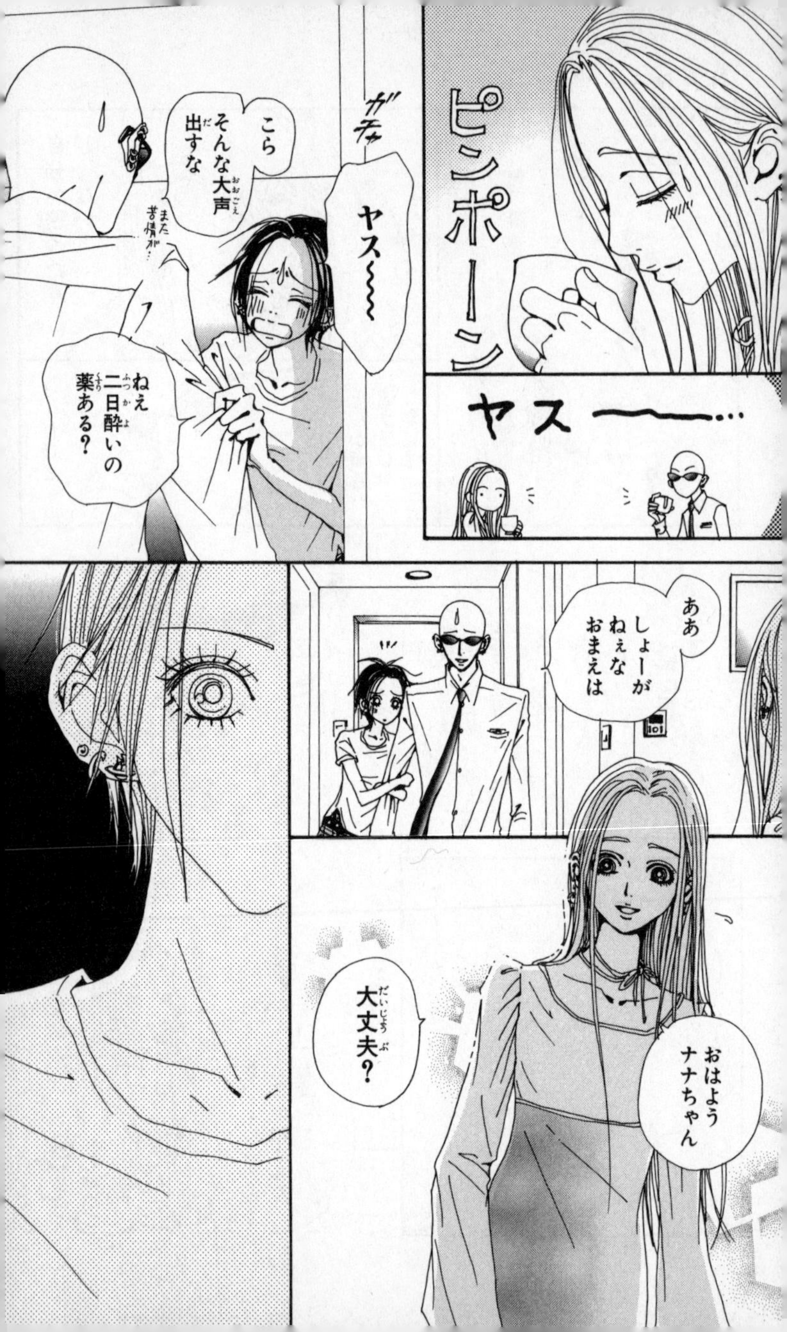

ピンポーン
ヤスーー…
ガチャ
ヤス〜〜〜
こら そんな大声出すな
また苦情が…
ねえ 二日酔いの薬ある?
ああ しょーがねぇな おまえは
おはよう ナナちゃん
大丈夫?

大丈夫
大丈夫
毎日の事
だから
座ってろ
毎日そんなに
飲んでるの？
良くないな
バン
……
どうしたんだろう
なんか
誤解された
かもな
しまった…
じゃあちょっと
説明して来るよ
部屋どこの
いいよ
あとで
話すから
薬なら銀平も
持ってるだろ
え？
あたしが来る事
言ってなかったの？
ああ
ごめん
急だったし
百合ちゃんが行方不明
だった事自体
言ってなかったから

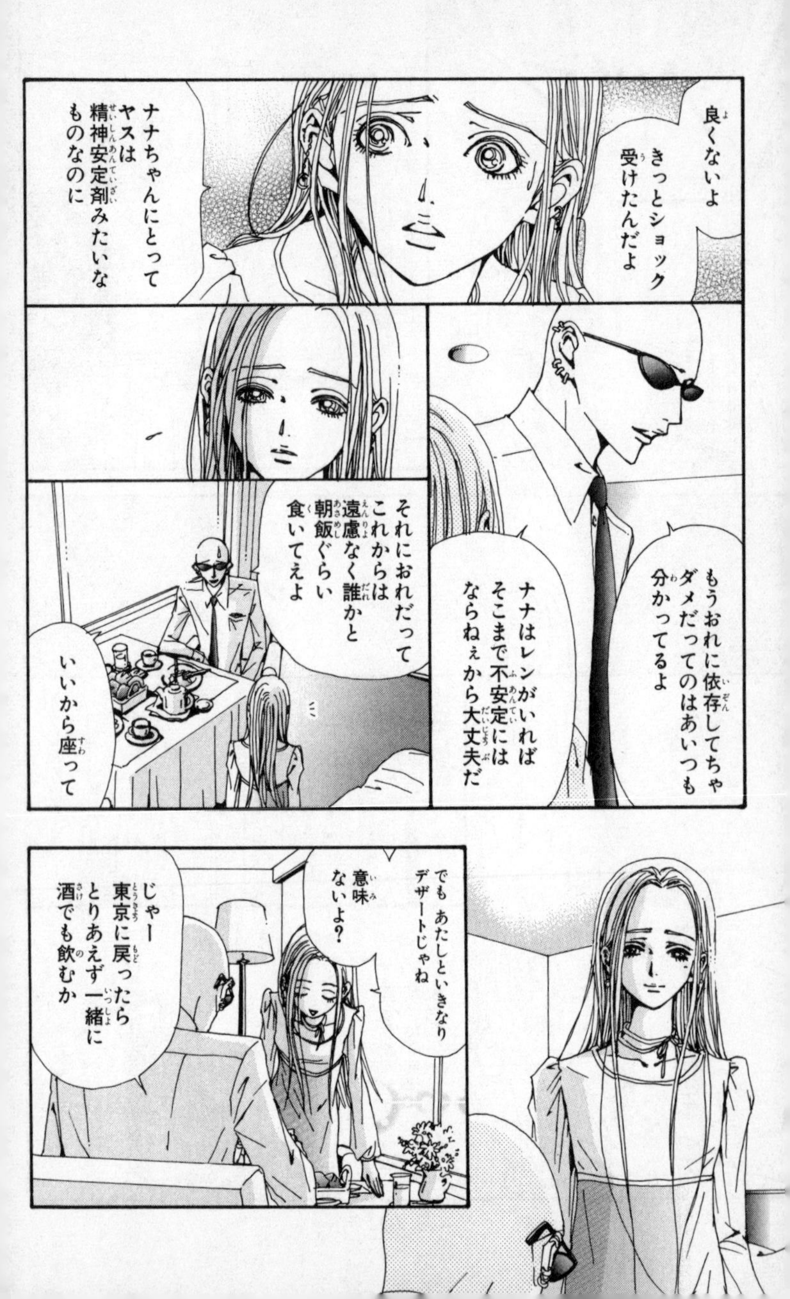
良くないよ
きっとショック受けたんだよ
ナナちゃんにとってヤスは精神安定剤みたいなものなのに
もうおれに依存してちゃダメだってのはあいつも分かってるよ
ナナはレンがいればそこまで不安定にはならねぇから大丈夫だ
それにおれだってこれからは遠慮なく誰かと朝飯ぐらい食いてえよ
いいから座って
でもあたしといきなりデザートじゃね意味ないよ？
じゃー東京に戻ったらとりあえず一緒に酒でも飲むか

買って帰るよ
何がいい？
………
純米酒♡
洋酒ならバーボンかな♡
何？
つくづく気が合うな
何の因果だ？

フォーー…ン
WILD TURKEY
8

レイラ！
何やってんだよ
酒なんか飲むな！
バカヤロウ
いーじゃねえかちょっと位
おまえが連れて来たんだろ
勝手について来たんだよ
飲ますなハゲ
ムチー
もーータクミなんか嫌い！
自分は好き勝手するくせに
本気でもう大っ嫌い！
そーなの？
じゃーもうおれにしとけ
WILD TURKEY 8

ザァ….

いつの間に止んだのかな
雪――
あんなに降ってたのに
月が出てるね
フルムーンだ――♡
もう4時？
なんてこった
また
朝帰りか
また？
良くねぇな
なんとかしなきゃ
分かってるなら
更生しなさ――い
そーだな
これからは
おまえも
いるしな
も――
本気なの？
からかってない…!?
俺は冗談で
こんな事
言わねぇよ
タクミとは
違うぞ

でもなんか――
あ そっか
きっと目を見て話せないからだ
サングラス取って！
そもそもそんなのかけててあたしの事ちゃんと見えてるー？
しかもこんな夜道で
見えねえ方がちゃんと見える事もあるよ
どーゆー意味？
目を閉じれば分かるよ
視覚以外の五感が冴えるんだ
この時間この場所は波の音しかしない事とか
ザァ……
明け方の空気が澄んでる事に気づいたりする

ほんとだ…
ねえ　ナナ
タクミ
レイラは？
知るかよ
おれに聞くな
レイラならさっきヤスがお持ち帰りしたよ――♡

マジ？
くっそ〜〜〜
ハゲッ
人の感情は　たやすく揺れ動いて
目に映るものはみんなまやかしで
そこには確かなものは何ひとつない

だけど月は欠けているように見えても
本当は常に形を変えずにそこに在るって事
忘れないでね

おれの方が断然かっこいーし
はー？どのへんがー？
カート

11月11日 日曜日

新婚さんになりそこねた

あたしとタクミは

これじゃあ本当に新婚ごっこだと

笑いながら向かい合って朝食を食べた

悪くないと思った

[第53話]
NANA
―― ナナ ――

あらやだ
また二日酔い？
あんた毎日毎日
飲みすぎじゃない？
昨日はあたしも一緒に
飲んじゃったし偉そうな
事は言えないけど
追っかけの子達にも
お酒はもう差し入れ
しないでって
注意しなきゃね
銀平
あたしやっぱ
委任状書くから
事務所に送って
本籍調べて
戸籍謄本も
取り寄せて
もらって
え？
どさっ

そうすりゃ東京に帰る頃には届いてるだろ？
すぐ婚姻届出しに行くよ
いいけどどーしたの？急にレンと何かあった？
会えもしねぇのに何があるんだよ
そーだけど
あんなに渋ってたのにどーゆー風の吹き回し？
渋ってたのは別に入籍をじゃねぇよ
なんかそーゆー書類とか人に見られんのがやだなと思ってただけ
それは分かってるけど…
でもそれより早くケジメつけてちゃんとやんなきゃ
もっとちゃんと

オムレツの上のケチャップの絵柄にタクミは必ず何かつっこみを入れる
それが楽しみであたしは毎朝腕をふるう
そんな他愛無い事が幸せだつた
11月 2001
日 月 火 水 木 金 土
1 2 3
4 5 6 7 8 9 10
11 12 13 14 15 16 17
18 19 20 21 22 23 24
25 29 30
東京に戻るのは18日でしょ？
まだ1週間もあるね
耐えられるかな
毎日メールするからちゃんと返信してね
ケータイもノブのおかげで直ったし
ラヴ。パワー？
いや壊れてなかったから
電源入ってなきゃ動かないのはあたり前だし
なんでそんなつっこみ所満載なの？
だから電源が入らなかったんだってば
じゃー怪奇現象だよ
旅につきものだ

ピンポーン
カチャッ…
タクミがネクタイの色を迷う
あたしが選んだ方を締めてくれる
それだけで離れている時間も寂しくないと思えた

入籍するかしないかなんて
もうどっちだっていい事のように思えた
EXECUTIVE FLOOR FRONT
おはようございます
すみません
この書類なるべく早く東京に届くように送りたいんですけど
明日の朝10時着でよろしいですか？
おはようナナさん
ちょっとは眠れた？
どさっ
おはようございます
Times Sports

おはよーございまーす
あら今日はみんな時間通りね——
感心感心♡
おはよう
あ
こいつまた英字新聞読んでる
かっこいーなよこせ
だって日本語の新聞漢字が難しいんだもん
じゃあ勉強になるから読め
うわ全然分かんねーやべー
勉強はあのつまらないエロ小説で充分だよ
いやおもしろいよ「隣りの奥さん」シリーズ
コミカルで
琴音さんに萌えない？
えっ そーかの
ああ
ちょっと百合さんにキャラが似てるよね
容姿のイメージも
シュボッ
ドサッ

ナナ
大丈夫か？
何が？
あんたが誰とヤろうとあたしには関係ねぇよ！
いやそーじゃなくて二日酔い…
……
全然余裕！

ゴォォォォォ
良かったね乗れて――
なんとかギリギリ仕事に間に合いそうだね
すんませんせん強引に連れ回したあげくベッドも占領しちゃって
なんたる無礼を
ううん楽しかったー♡
不良だった頃溜まり場にしてた部屋も懐かしかったし
全然変わってたけど
ハゲにチューされた記念日だからー？
誰が不良だよ
懐かしがる程来てねぇだろ
1回だけ♡
でもあたしには思い出深い1回なの

なんで知ってるの…？
ヤスって意外とおしゃべり
おまえが自分で言ったんだろ
次の日スタジオにうれしそ———に練習覗きに来て
ヤスにチューされちゃったの ど——— しよ———
よかったな
うそ〜〜〜〜 全然覚えてないよ
痛〜〜〜
おれはよく覚えてるよ
あれが人生唯一の失恋だからな
え？
ヤスってさ
ガキの頃から おれの欲しがるものはなんでも譲ってくれたのに
おまえの事だけは譲ってくれなかったんだ
後にも先にもおまえだけだよ

よっぽど
おまえに
惚(ほ)れてたの
かもな
今(いま)になって
分(わ)かったよ
ゴオオオオ…
ねえレン
あたしとレンて
同志(どうし)だよね

あたしも大事なもの
全部捨てて上京して
トラネスに賭けたの
その事を
思い出せて
よかった
がんばろうね
赤坂のマンションを
手離す気はないみたいだ
だけどあたしも707号室は
引き払えないから
その夜タクミは
仕事を理由に
帰って来なかった

なんだか色んな意味で
お互い様な感じがした
コン…
ピッ
11/12（月）
12:53
コン

はい四海コーポレーションです
あ
都築です
今市役所でナナさんの住民票を受け取りました
本籍地をメールで送りますのでよろしくお願いします
調布市役所
住民票
世帯主
大崎　ナナ
住所
多摩川8丁目25番7号
ねえ美里ちゃんて覚えてる？
ああ
金髪でたてロールの？

さすがだね
佐藤公一♡
夏に1・2回連れて
来ただけなのに
接客業の鑑!
いやもっと
来てたよ?
一人でランチ食いに
…
そーなの?
そっかー
あたし昼間
バイトで結構
ほったらかして
たからなあ
こんな所に出没
してたのか
神出鬼没だな
その美里
ちゃんが
どーか
したの?
おれはもう何があっても
おどろかないよ
しばらく
音沙汰なくて
どーしてんのかと
思ってたら
今朝いきなり
電話が来てね
なんか高校やめて
こっちで就職して
家出同然で上京
して来たんだって
え?
なんか忙しい
みたいで詳しい
事は会ってから
話すって…
あたしはこんなにヒマなのに
あ
カラン
いらっしゃい
ませー
あたしも
びっくりしたよ
一時間程
昼休みが
もらえるから
ジャクソンで
会えないかって
言われて
じゃあ職場
このへんなの?
いやよく
分かんない
ちょーナゾ

…………
ハチ子さん
佐藤さん
お久しぶりです！
キャー♥
美里ちゃん？
どーーしたの？その髪！
あ
就職の面接の為に変えたんです
でもそういう事には全くうるさくない会社だと分かったので服装は元通りですけど♡
なるほど
本気だな
いやむしろパワーアップしてない？
いいわねえ若い人は

え⁉
四海コーポレーション⁉
ってどこ？
大手なの？
ブラストの所属事務所だよ
メンバーのお世話係をさせて頂ける事になりました
そーなんだ
良かったねメンバーの紹介？
まさか
そんな図々しい事は頼めませんよ
え？
じゃあ自分で乗り込んだの？
すごいな
おめでとー
ナナ達も喜んでるでしょ
いえ
ブラストは今巡業中なのでまだご存知ないと思います

そっか！
帰って来たら驚かそうって魂胆だね？
それならあたしも内緒にしとくよ♡
あ
いらっしゃいませー
喜んでもらえるかは分かりませんけど…
なんでよ 喜ぶに決まってるじゃん
でも世話係が顔見知りだと逆に気を遣わせるかも
大丈夫だよ
気心が知れてる方がいいって
しかし美里ちゃんの行動力には ほんと感心するよ
ほんとすごい
そんな立派なもんじゃないですよ……
実は美里 高校は出席日数が足りなくなって
親に留年なんか恥ずかしいから辞めろって言われたんです
せっかく宿題も手伝って下さったのにすみません
恥ずかしいから辞めろ？
なんか酷いな
でも美里が悪いんだし
それで居づらかった家にも ますます居づらくなって
この先どうしていいか分からなくて途方に暮れてたんですけど

そつか…
音信不通だつたのも
別にあたしの事
怒つてたからじゃ
ないんだな
でも四海の
社長さんは
学歴や経歴は
関係ないって
お考えの方で
美里のやる気を
認めて下さいました
どーしてあたしの
発想はこう自分が
主役なんだろう
ダメ元だったから
涙が出る程
うれしかったです
それはやっぱり
美里ちゃんが
そのへんの社会人より
しっかりしてるから
見込まれたんだよ!
言葉使いとかも
素で丁寧だし♡
そんな事ないですよ
今は雑用ですけど
分からない事も多くて
毎日どなられてますし
でも しっかり
がんばります
美里は今まで
ブラストを
支えに生きて
来たけど
これからは
ブラストの
支えになれる
ように

CD・DV
TERM
今日は はるばる来てくれて どうもありがとう
娘にサインまで頂けて父親の株も上がるよ
「ターミナルレコード」札幌店 店長
高田広志(45)
こちらこそ今日はありがとうございました♡
がんばりますのでご支援よろしくお願いします!
よろしくお願いしまーす

お帰りはこちらからどうぞご案内します
ありがとうございます
ナナ
事務所からメール来たわよ
何？
説教？
本籍地
戸籍謄本も今週中には届くそうよ
……
分かったありがとう
控えなくていいの？
ばーちゃん家の住所なら覚えてるよ
ヴロロロロロ

じゃあ
これから先は
二手に
分かれるわよ
ピッ
送信
ナナとヤスは
あたしと盛岡
ノブと
シンちゃんは
川野さんと
新潟
OK?
TRAPNEST
REIRA
嫌
なんであたしが
ハゲとコンビ
組まなきゃ
ならねえんだよ
漫才師じゃ
ねえぞ
僕だって
ノブさんの顔は
一番見あきてる
のに…
もーうんざりだよ
ターミナルレコード
だいたい
タヌキ親父が
北海道まで
迎えに来て
くれたのは
カニが食いた
かっただけ
だろ?
しかもガイアの金で
……
うちが人手不足だから
忙しい中 付き添って
下さるのにそんな
失礼な事言わないの
それはそーかも
しれないけど
でも新しいマネージャーの
女の子が入ったんでしょ?
都築舞
ちゃん♡
かわいいんだっての?
噂は寮の
住人から
聞いてるよ
舞ちゃんにも来て
もらおうよ♡
新入りなんか呼んでも
足手まといになるだけよ
そもそも
若い女なんて
使いものに
なるのかしら
あたしは
かわいい男の子が
よかった

美里は駅に行きますけどハチ子さんは？
あたしはついでに707号室の掃除してから帰るよ
でも駅まで送るね♡
ご足労おかけしてすみませんでした
ノブと別れた事はみなさんのご様子から察してたんですけど
それ以上の事まで考えが及ばなくて
ううん
あたしの方こそ色々と黙っててごめんね
でもいいですね白金なんて
子供を育てるのにも環境が良さそうだし
うん
それを第一条件に探したから
幸せそうで安心しましたよ
きっとフィアンセも素敵な方なんでしょうね♡
う～ん
でもかなり気難しい人だよ
そーなんですか？
だからあんまり家に遊びに来てもらったりとか出来ないけど
また一緒に買い物したりご飯食べたりしようね♡
こう言っておけば誰もそれ以上詮索して来ない
あたしは自分なりの人づき合いの仕方を身につけ始めていた

美里ちゃんの事
信用してないわけじゃないけど
ごめんね
じゃあ時間が
出来たら また
連絡しますね
うん♡
仕事がんばってね
コン…
ナナとお揃いの
服を着て
みんなと
同じ靴音を
鳴らして
美里ちゃんは
夢に向かって
走り出した
金色の髪を切った事を
悔やんでいても
安月給で大好きな
ヴィヴィアンが
買えなくなると
嘆いていても
あたしには
うらやましかった

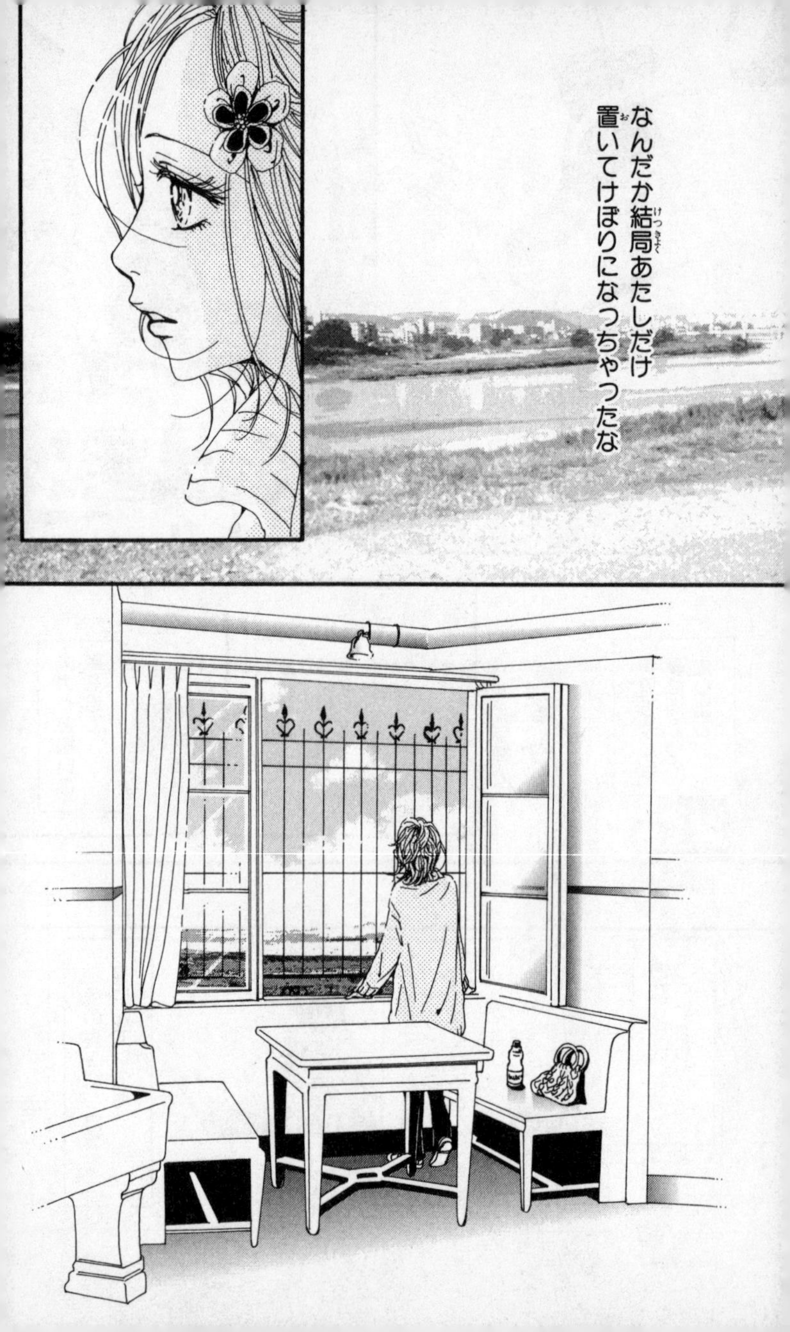
なんだか結局(けっきょく)あたしだけ
置(お)いてけぼりになっちゃったな

だけど
あたし
だって
大好きなハイヒールが
はけなくても
大好きなブラストが
遠去かっても
守りたいものがあるんだよ
人を
うらやむのは
もうやめよう

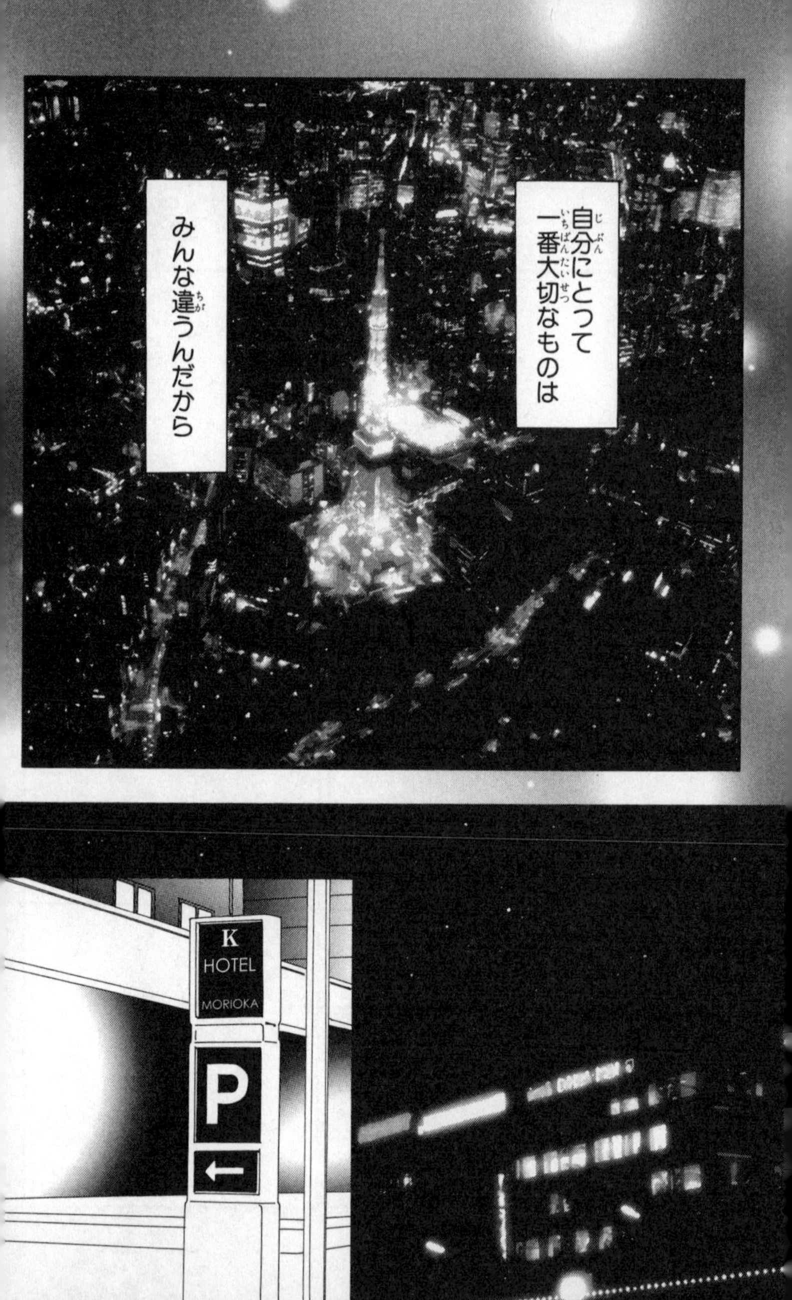
自分にとって一番大切なものは
みんな違うんだから
K
HOTEL
MORIOKA
P

げほっ
げほっ
ごほっ
大丈夫かよ
倉田……
移さないでよ？
けほっ
そりゃ風邪も
引くよね
あんな所まで一人で
張りついて行くとは
すごいド根性
見直したよ
やる気
ないのかと
思ってたのに
だってどんな労力
使っても貰える
金は同じだし
納得いかないよ
契約社員に
なんかなるんじゃ
なかった
まあね
けほっ
でもナナレンの
スクープ写真が
撮れた時
すごい
達成感が…
ああ
自分の撮った
写真一枚で
あんな大騒ぎに
なるし
なんかおもしろく
なっちゃって

ヴロロロ
よし来た
ヴロロロ…
ジュッ
コン
ナナさん!
パシャッ

お疲れ様です！
パシャ
パシャ
ちょっとお話お伺い出来ませんか？
パシャ
…………
なんなの？いきなり勝手に写真撮らないで
バン
取材ならうちの事務所通してちょうだい
突然すいません「サーチ」の三宅と申します
そのせつはどーも
え？
ああ あんたが
てめぇ よくのこのこ顔出せるよな
ナナ
殴られた腹いせだか知らねえけどヤスの事あんなデタラメ書きやがって

あ 事実と異なる箇所がありましたか？
すいません
それなら謝罪文載せますから指摘して下さいよ
でっしょー――♡
もー大変だったんですからー―
……
これ差し入れとナナさんの婚約祝いです♡
ああありがとう
それじゃあ
いやよくあれだけ調べ上げたな
感心したよ
あ～～～～ちょっと待って！
2・3分でいいからナナさんとお話させて下さいよ
はるばる来たんだから
アポなしはダメよ
出直してちょうだい
じゃあ ひとつだけ！
なんでレンとさっさと入籍しないの？
新居も構えてないでしょ？
なんか変じゃない？
うつぜ～～～
おかげ様で忙しいからだよ！
張り付いて見てりゃ分かるだろ？

ありがとうございました――!
週刊SEARCH
編集部
三宅です!
ナナレン未入籍の裏取れました!
はい
ご苦労さん
工藤!
横山さんがトラネスの事務所に事実確認の電話入れとけって
また成田にどなり込まれたら面倒だしな
週刊サーチ
副編集長
新井 良行(47)
バツ2

あ!?
あんなバカ社長にビビる事ねぇよ!
ほっとけ!
でも成田は色んな方面に顔が広いからなるべく穏便にやれって横山さんが……
こんな時にのんびり会社休んでる編集長の命令なんか聞けるか!
なっにがリフレッシュ休暇だ!
一生南の島に住んでろ!
でもこれ以上上に逆らったら窓際に異動させられるぞ?
ツカツカツカツカ
僕も一応上司だよ?
君より年下だけど
サラリーマンはせつないねえ
はいクッキーミュージックです
「週刊サーチ」芸能班主任の工藤ですっ
あ どーも♡
成田社長いらっしゃいますかねぇ

302
お帰りなさーい♡
ただいまー♡
ピルルルー♫
タクミ！
今すぐ事務所まで来てくれ！
プツー
……
行ってきまーす
そんな〜〜〜

お♡
純米酒
さすがおれの好みまでよく分かってるなあ
サーチがくれた酒なんか飲まねぇぞ！
まあそー言うな酒に罪はねぇし
あいつらだってあれが仕事なんだから
やっぱ和室はなごむなぁ
あたしはぜって――許さねえ！
ちなみにこれは何？
危険物？
婚約祝いっつってたなぁ
怖えな
怖えだけに気になるな
じゃ――開けてやるよ
気をつけろよ開けたら爆発する仕掛けかもしれねぇぞ
じゃ――避難してろ
あら あたしの身代わりに死ぬ気なの？
ミューさんが泣くよ？

パコ…
祝
大崎ナナ様
ドカーーーン
くっくっくっ
もーーーー
おまえの方がよっぽど危険物だよ

2001.11.11

ガタッ
…………
ふざけやがって…
絶対許さねぇ…
ねえ ナナ

ナナが今 一番大切にしているものは　　何？

赤いラヴジャケットもピストルズのCDもヴィンテージのギターも

全部置き去りにして

今 どこにいるの?
NANA—ナナ— ⑭/おわり

おまけページ
7F スナック
淳子の部屋
本編出演で
超多忙の為
休業致します。
淳子ママ
おまえ今巻出番なかったろ!?
うそつき!
今日もジャクソン
そーだっけ?
しまったー

ファミリー新聞　2005年12月15日号
『NANA』アニメ化決定！
ファミリー新聞
2005年
12月15日号
日本テレビ系列で
春から放送予定！
現在着々準備中！
詳細は次号発表！
お楽しみに──♡
映画NANA
大ヒット御礼続編制作決定!!
2007年公開予定♡　気長に待て！
オリジナル・サウンド トラック発売中
全19曲入りで、ブラストとトラネスのライブ映像が観れるＤＶＤ付き♡
〈発売元／Music Ray'n〉
本編DVDも'06年3月3日発売予定！
あの感動を再び！　ひなまつりだし♡
アニメ？
観なきゃ♡
…
よかったね
レンも大喜び!?
『Paradise Kiss』
ポストカードコレクション
発売中♡
Paradise Kiss
Postcard Collection
矢沢あい
Ｂ６判
定価1500円
（税込）
発売元／祥伝社
「パラキス」のイラストが豪華なポストカード集になりました。計32枚収録で特製シール付きです♡切手を貼れば、もちろん普通の絵ハガキとして使えますよ！ピンクの鍵穴がある素敵な青い箱が目印！本屋さんでどうぞ♡
PARADISE KISS
POSTCARD COLLECTION
尋ね人
上原美里（偽名？）
寺島伸夫
大崎ナナ
小松奈々

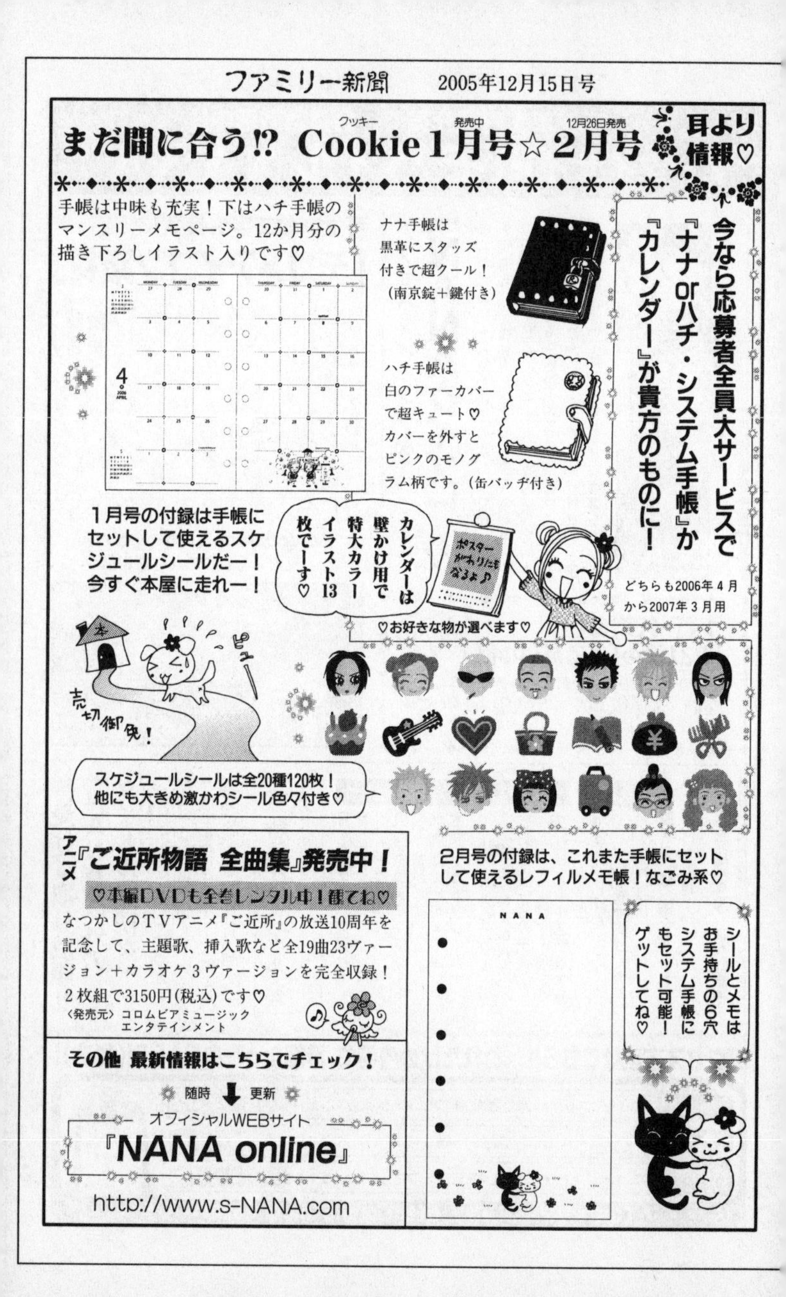
ファミリー新聞 2005年12月15日号
まだ間に合う!? Cookie 1月号☆2月号
クッキー
発売中
12月26日発売
耳より情報♡
手帳は中味も充実！下はハチ手帳のマンスリーメモページ。12か月分の描き下ろしイラスト入りです♡
ナナ手帳は黒革にスタッズ付きで超クール！（南京錠＋鍵付き）
ハチ手帳は白のファーカバーで超キュート♡カバーを外すとピンクのモノグラム柄です。（缶バッヂ付き）
今なら応募者全員大サービスで『ナナorハチ・システム手帳』か『カレンダー』が貴方のものに！
どちらも2006年4月から2007年3月用
カレンダーは壁かけ用で特大カラーイラスト13枚でーす♡
ポスターがわりにもなるよ♪
♡お好きな物が選べます♡
1月号の付録は手帳にセットして使えるスケジュールシールだー！今すぐ本屋に走れー！
ピュー
売切御免！
スケジュールシールは全20種120枚！他にも大きめ激かわシール色々付き♡
アニメ『ご近所物語 全曲集』発売中！
♡本編DVDも全巻レンタル中！観てね♡
なつかしのTVアニメ『ご近所』の放送10周年を記念して、主題歌、挿入歌など全19曲23ヴァージョン＋カラオケ3ヴァージョンを完全収録！
2枚組で3150円(税込)です♡
〈発売元〉コロムビアミュージックエンタテインメント
その他 最新情報はこちらでチェック！
随時 更新
オフィシャルWEBサイト
『NANA online』
http://www.s-NANA.com
2月号の付録は、これまた手帳にセットして使えるレフィルメモ帳！なごみ系♡
NANA
シールとメモはお手持ちの6穴システム手帳にもセット可能！ゲットしてね♡

ファミリー新聞　2005年12月15日号
ますます内容充実で、会員数激増中!!
ケータイサイト『モバイルNANA』
可愛い絵文字も豊富に！
「デコメアイコン素材」
随時更新
好評だったテンプレートに加え、可愛い絵文字アイコンも登場!! デコメ素材がiモードユーザーの心をがっちり掴んでます♡ ナナやハチをはじめ、キャラアイコンは今後もどんどん追加予定だから目が離せません！ 友達へのメールは、「NANA」カスタマイズでばっちり決めちゃえ！
EZ、Vodafoneユーザーの皆さん使えなくてごめんなさい！
アクセスランキングNo.1
「NANAクイズ」
毎週金曜日更新
なぜこんなにも人気があるのか。それは、答えを間違えて、繰り返しアクセスする人が多いから。みんなが必死になる最大の理由は、全問正解すると貰える期間限定の特別待受けにあり！ カルトクイズだからハードルは高いけど、頑張るだけの価値は十分あるよ!! ぜひ挑戦してね！
これで誰を待受ける？
作者・矢沢あい、月に1度の「ここだけの話」
毎月1日更新
普段の生活から作品の制作秘話まで、ここだけの話をお届け！ 作者・矢沢あいのコラムが定期的に読めるのは、『モバイルNANA』会員だけ！
待受けは取り放題!!
「NANA」以外のタイトルも続々！
「ご近所物語」や「下弦の月」も配信。8月に配信して大人気だった「天使なんかじゃない」は、12月にも限定で再び登場！
更新スケジュールをチェック！
毎週
月〜金毎日☆「待受け」
月☆「Flash アクセサリー」
火☆「デコメテンプレート素材」
水☆「NANAメール」
木☆「フォトフレーム」
毎月
1・15日☆「カレンダー」
7・26日☆「NANA占い」
17・27日☆「オリジナル着モーション」
26日☆「メール送受信画像」
偶数月
26日☆「NANA人気投票コーナー」
☆「着メロ」は、機会があればまとめて更新！
今後も新企画をたくさん計画中！ リクエストもお待ちしてます♡
アクセス方法はこちら!!　これだけの内容で、月額たったの315円(税込)！
i-mode　メニューリスト ▶▶ 待受画面 ▶▶ アニメーション/マンガ ▶▶ モバイルNANA
EZweb　EZトップメニュー ▶▶ カテゴリで探す ▶▶ 画像・キャラクター ▶▶ アニメ・コミック ▶▶ モバイルNANA
Vodafone live!　メニューリスト ▶▶ 壁紙・待受 ▶▶ アニメ・マンガ ▶▶ モバイルNANA
[3キャリア共通URL] http://m.s-nana.com/

ファミリー新聞　2005年12月15日号
激カワ装丁全4巻♥
GOKINJO MONOGATARI ♥ AI YAZAWA
実果子とツトムと法司にまた会えるっ!
ご近所物語 完全版 1～3
全4巻
カバーは描き下ろし! レア度MAXのイラストギャラリーも付いた
カラフルな豪華版です♥　2005年のシメはゴキンジョで決まり!
絶賛発売中!
定価 各1260円(税込) 集英社刊
書店さんにワープ!!
第4巻は
12月20日(火)
発売!
☆当新聞の掲載商品は全て実在します。怖がらずにお買い求め下さい。

あい
傑作コミックス
大好評発売中
RIBON MASCOT COMICS
風になれ！
矢沢あい
風になれ！
由紀はひょんなことから
陸上部のコーチ・秀樹に
才能を見出され…!?
15年目
矢沢あい
15年目
15年来の幼なじみ、
千里と玲子。ふたりが
好きになったのは…!?
エスケープ
エスケープ
矢沢あい
薫は毎日が面白くない…。
悩み多き年ごろの、心を
描いた学園ダイアリー。
ラブレター
ラブレター
矢沢あい
中学生のひとみは、
数学の武田先生が好き。
甘く切ない初恋ストーリー。

矢沢
天使なんかじゃない 完全版 全4巻
下弦の月 愛蔵版 上・下
ご近所物語 完全版 4巻(完結)
12月20日発売!
いつまでも残しておきたい
名作・3作品が新装丁で登場!!
あの感動を再び…。
うすべにの嵐
野球に青春をかける
兄弟、それぞれの
学園純情ストーリー。
うすべにの嵐
矢沢あい
バラードまで
そばにいて 前・後
落ちこぼれ気味の広美と、
歌手として有名になった
宮本くんとの感動ラブ!!
バラードまでそばにいて
矢沢あい
ご近所物語 全7巻
幼なじみの実果子とツトム、
楽しい仲間たちとの、
ハッピー♥ラブパワー
ご近所物語
矢沢あい
マリンブルーの
風に抱かれて 全4巻
夏の海で遥は、初恋の人・
亨と再会…。胸を揺さぶる
青春ラブメッセージ。
マリンブルーの風に抱かれて
矢沢あい
下弦の月 全3巻
美月は、ギターで切ない
旋律を奏でるアダムと
運命的な出会いをして…。
下弦の月
矢沢あい
天使なんかじゃない
全8巻
学園の人気者・冴島翠を
中心に繰り広げられる
ピュア・ストーリー。
天使なんかじゃない
矢沢あい

収録作品メモ

『NANA－ナナ－』⑭巻 ■クッキー・平成17年7月号・8月号・10月号・11月号に掲載

♥りぼんマスコットコミックス クッキー

NANA－ナナ－⑭

2005年12月20日 第1刷発行

著者 矢沢あい

編集 株式会社 創美社
〒101-0051 東京都千代田区神田神保町2－2
共同ビル
電話 03(3288)9823

発行人 片山道雄

発行所 株式会社 集英社
〒101-8050 東京都千代田区一ツ橋2－5－10
電話 編集部 03(3230)6175
販売部 03(3230)6191
読者係 03(3230)6076

Printed in Japan

印刷所 凸版印刷株式会社

ISBN4-08-856660-2 C9979